黄河洪水输沙与冲淤阈值研究

梁志勇 刘继祥 张厚军 林宏达 刘翠芬 著

黄河水利出版社

内 容 提 要

本书以黄河下游以及渭河下游输沙、冲淤阈值(临界水沙与边界条件)为主线,对研究现状进行了评述;以不饱和输沙理论为基础导出了排沙比计算的一般公式以及冲淤阈值的一般解;根据实测资料建立了黄河下游各个河段和渭河下游排沙比以及冲淤阈值、高含沙水流排沙比与冲淤阈值的定量关系;按照非恒定水流理论提出了洪水最大冲刷深度的计算公式,探讨了黄河下游粗沙的冲淤特性、黄河下游上下河段的冲淤调整关系、悬移质泥沙组成调整模式、高含沙水流逆行沙浪等,并就相关问题进行分析和讨论。本书部分内容为"十五"国家科技攻关计划重大项目"水安全保障技术研究"中"维持黄河下游排洪输沙基本功能的关键技术研究"项目成果。本书可供泥沙与河流动力学、水利、水文、地理、防洪减灾、桥涵、管道穿河工程等专业的规划、设计、科研、管理人员以及高等院校师生阅读。

图书在版编目(CIP)数据

黄河洪水输沙与冲淤阈值研究/梁志勇等著.—郑州:
黄河水利出版社,2004.12
ISBN 7－80621－854－8

Ⅰ.黄…　Ⅱ.梁…　Ⅲ.①黄河－水力输沙－研究 ②黄河－河道淤积 ③黄河－河道冲刷　Ⅳ.TV882.1

中国版本图书馆 CIP 数据核字(2004)第 112768 号

出　版　社:黄河水利出版社
　　　　　地址:河南省郑州市金水路 11 号　　　邮政编码:450003
发行单位:黄河水利出版社
　　　　　发行部电话及传真:0371－6022620
　　　　　E-mail:yrcp@public.zz.ha.cn
承印单位:黄河水利委员会印刷厂
开本:787mm×1 092mm　　1/16
印张:11
字数:254 千字　　　　　　　　　印数:1—1 000
版次:2004 年 12 月第 1 版　　　印次:2004 年 12 月第 1 次印刷

书号:ISBN 7－80621－854－8/TV·378　　　定价:25.00 元

前　言

　　黄河下游河道是一条"地上悬河"，是水流挟带泥沙长期冲淤变化的结果。自然状态下下游河流往往是水少沙多、水沙不平衡，20世纪80年代后期以来，来水来沙变化使水少沙多的矛盾更加突出，水沙严重不平衡，从而造成河床淤积、河道萎缩，加剧了"二级悬河"的发展，加大了两岸的防洪压力。小浪底水库运用以来，特别是近年来进行的调水调沙试验对恢复和维持主槽起到了积极的作用。

　　如果我们知道什么样的洪水能够冲刷下游河道、什么样的洪水能够使下游河道淤积，了解下游各个河段之间冲淤调整的关系，并能够通过水库的联合调度运用，施放所需要水沙搭配或水沙组合的洪水，使进入下游河道的洪水淤积总量较少，淤积分布合理，那么就有了减少或控制黄河下游河道泥沙淤积的办法，这将有利于黄河下游河道的防洪减灾。

　　解决这个问题实际上就是要研究洪水在不同边界条件下的输沙问题，以及不同水沙搭配情况下的泥沙冲淤分布问题。本书以黄河下游河道以及渭河下游为例，从不同河段洪水输沙和冲淤阈值(临界水沙与边界条件)两个层次来研究黄河，用河段排沙比、冲淤临界流量、水沙系数等参数来描述洪水输沙与冲淤阈值，按照洪水是否漫滩、洪水含沙浓度大小、泥沙粗细、河段不同等分类进行了较为细致的理论推导、资料统计与分析研究。全书共12章。第一章为绪论。第二章至第八章叙述河道输沙特性及其冲淤阈值，首先论述了黄河输沙及冲淤阈值研究概况，从不饱和输沙、非恒定水流、边界条件变化等多角度研究洪水排沙比及冲淤阈值等方面的内容，并对黄河下游各个河段及渭河下游的冲淤阈值进行了具体分析。第九章至第十二章讨论高含沙水流的输沙问题，介绍了高含沙水流的现象、输沙特性、悬移质泥沙的调整模式，最后分析了黄河下游各个河段输沙关系及冲淤阈值。

　　本书系集体创作，撰稿人情况及其撰稿章节如下：梁志勇参与全书的撰写与统稿；刘继祥参与本书第一、六、十二章的撰写；张厚军参与本书第二、六、七、八、九、十二章的撰写；林宏达高级工程师参与本书第三、五、七、十章的撰写；刘翠芬工程师参与本书第四、五、八、十一章的撰写。

作　者

2004年9月

目　录

第一章 绪 论

对黄河下游河道输沙与冲淤特性的研究由来已久。近50年以来,对输沙与冲淤特性的研究从单一的资料分析、认识,到冲淤规律总结、经验或半理论公式的提出;从全沙冲淤规律的分析研究到分组泥沙冲淤规律的分析研究;从长时段冲淤规律的分析到洪水过程的冲淤分析等,经历了一个从简单到复杂、从经验到理论、由浅入深的过程。

对黄河下游河道冲淤特性的认识包含有以下几个方面:一是冲刷与淤积变化规律,包括清水与浑水的、粗沙与细沙的、低含沙与高含沙水流的、大水的与小水的等;二是冲刷和淤积的临界条件即阈值,以及阈值与不同水沙条件、边界条件的关系。

1.1 对黄河下游河道冲淤变化的认识

黄河下游是一条冲淤变化剧烈的河流,历代对黄河下游河道的认识都在不断发展。由于生产力水平和科学技术条件的限制,在20世纪50年代以前,"对黄河下游河性的理解不能不是零星的、片段的,或者是停留在感性认识阶段"(钱宁等,1987)。

1964年出版的《黄河下游河床演变》(钱宁等)第一次较为系统地从河床演变的角度阐述了黄河下游河道的演变特性,如黄河下游河道具有"大水大排"、"大水淤滩刷槽"、"大水位山以下山东河道冲刷"、"大水河走中泓、水流集中、河身变窄深"等自然演变特性。但当时水文资料有限、计算机技术很落后,还无法进行大量的资料统计和分析工作。一直到70年代末期、特别是80年代以来,黄河下游冲淤演变特性的研究开始有了明显的进展。

黄河水利委员会水利科学研究所等单位[1] 分析了三门峡建库蓄水前的1952~1960年下游河道的冲淤变化情况,统计结果见表1-1、表1-2和表1-3,得到如下结论:①就汛期的洪峰期和平水期而言,洪峰期占汛期淤积量的91.5%,小于2 000m³/s的平水期占8.5%。泥沙淤积在洪峰期虽大但大部分淤积在滩地上,平水期的淤积虽小但都淤积主槽内(包括山东河段)。②漫滩洪水的淤积量较大,不漫滩洪水的淤积量较小。当来沙系数较小时,下游河道会出现淤滩刷槽;当来沙系数较大时,会出现滩槽皆淤的情形。这一临界冲淤来沙系数因漫滩洪水大小不同而异,对于大漫滩洪水,洪峰的平均来沙系数 $\overline{S/Q}$ 为 0.015kg·s/m⁶,对于小漫滩洪水,洪峰的平均来沙系数 $\overline{S/Q}$ 为 0.03kg·s/m⁶。

黄河下游淤积的根本问题是泥沙问题,泥沙的根源在中游,而中游不同区域的泥沙粗细还不大相同,因此不同地区降雨所造成的来水来沙对下游河道的影响是不同的。本书第一次将黄河下游的冲淤变化与中上游的洪水、泥沙过程联系起来,结合黄河流域的水沙条件,将水沙来源分区为:粗泥沙来源区、细泥沙来源区和清水区。统计分析表明:①粗泥沙来源区发生较大洪水时下游河道多处于不漫滩或小漫滩情况,整个下游河槽常出现淤积而少有冲刷。②各地区普遍有雨但强度不大,或者粗沙来源区有中等洪水但清水区也有补给,或者洪水主要来自细泥沙来源区时,洪水一般不漫滩,艾山以上河槽发生淤积、艾

---

[1] 黄河水利委员会水利科学研究所、水电部十一工程局勘测设计研究院、清华大学水利工程系,1978年,黄河流域不同地区来水来沙对黄河下游冲淤的影响,黄河泥沙研究报告选编,第一集,下册。

山以下河槽为冲刷。③粗细泥沙来源区与清水来源区洪水相遇,或者洪水主要来自粗沙区时,艾山以上河道发生淤积或者冲刷但河槽发生冲刷、艾山以下河道为冲刷。

表 1-1　1952～1960 年黄河下游冲淤情况

项　目		河段九年总冲淤量(亿 t)				不同时期淤积量占总淤积量(%)
		高村以上	高村—艾山	艾山—利津	全下游	
九年累计		+29.14	+9.92	-1.66	+37.39	100.0
汛期		+26.55	+8.73	-4.98	+30.30	81.0
1.洪峰	58 次	+23.76	+9.85	-5.89	+27.72	74.1
按漫滩情况区分:大漫滩	7 次	+6.89	+5.84	-2.14	+10.58	28.2
小漫滩	23 次	+11.48	+4.53	-2.32	+13.69	36.8
不漫滩	28 次	+5.39	-0.52	-1.43	+3.44	9.2
按洪峰流量 >10 000m³/s	7 次	+7.14	+6.71	-2.50	+11.34	30.3
级区分: 6 000～10 000m³/s	23 次	+12.75	+3.85	-1.66	+14.76	39.5
4 000～6 000m³/s	16 次	+3.41	-0.39	-1.34	+1.67	4.5
2 000～4 000m³/s	12 次	+0.64	-0.31	-0.39	-0.06	—
2.平水期		+2.79	-1.12	+0.91	+2.58	6.9
非汛期		+2.59	+1.19	+3.32	+7.09	19.0

注:"+"表示淤积,"-"表示冲刷,下同。

表 1-2　1952～1960 年黄河下游大漫滩洪水滩槽冲淤情况　　　　　(单位:亿 t)

日　期 (年·月·日)	花园口		花园口—艾山			艾山—利津			花园口—利津		
	洪峰流量 (m³/s)	$\overline{S}/\overline{Q}$ (kg·s/m⁶)	槽	滩	全断面	槽	滩	全断面	槽	滩	全断面
1953.7.26~8.14	10 700	0.011 2	-1.79	+2.20	+0.41	-1.21	+0.83	-0.38	-3.00	+3.03	+0.03
1954.8.2~8.25	15 000	0.009 7	-2.44	+3.43	+3.16	-0.99	-0.16	-1.15	-1.26	+3.27	+2.01
1954.8.28~9.9	12 300	0.017 0	+2.17								
1957.7.12~8.4	13 000	0.011 9	-3.23	+4.66	+1.43	-1.10	+0.61	-0.49	-4.33	+5.27	+0.94
1958.7.13~7.23	22 300	0.009 5	-6.10	+9.20	+3.10	-1.55	+1.0	-0.55	-7.15	+9.70	+2.55
合　计			-11.39	+19.49	+8.10	-4.85	+2.28	-2.57	-16.24	+21.77	+5.53

在谈到三门峡水库对下游河道冲淤的影响[1]时,刘月兰等曾提出三门峡水库应尽量根据下游河道的输沙特性和来水来沙特点进行泥沙调节,建议包括:①当上游来沙系数大或者前期下游河床冲刷粗化时,下泄水流的排沙比应当小。②尽量利用漫滩洪水排沙。

---

[1] 刘月兰等,1978 年,三门峡水库对黄河下游冲淤输沙的影响,黄河泥沙研究报告选编,第一集,下册。

表 1-3　1952～1960 年黄河下游部分小漫滩洪水滩槽冲淤情况　　　　（单位：亿 t）

日　期 （年·月·日）	花园口		花园口—艾山			艾山—利津			花园口—利津		
	洪峰流量 (m^3/s)	$\overline{S}/\overline{Q}$ ($kg\cdot s/m^6$)	槽	滩	全断面	槽	滩	全断面	槽	滩	全断面
1953.8.18～8.25	6 790	0.045 2	+0.645	+0.265	+0.910	+0.029	+0.166	+0.195	+0.674	+0.431	+1.105
1953.8.26～9.2	8 410	0.043 6	+1.060	+0.230	+1.290	+0.430	−0.330	+0.100	+1.490	−0.100	+1.390
1954.7.13～7.16	7 200	0.028 5	−0.286	+0.437	+0.151	+0.082	−0.069	+0.013	−0.205	+0.369	+0.164
1956.7.23～7.29	6 500	0.033 8	+0.304	+0.346	0.650	+0.167	+0.050	+0.217	+0.471	+0.396	+0.867
1958.7.29～8.2	7 370	0.029 4	−0.158	+0.652	+0.494	+0.043	+0.207	+0.250	−0.116	+0.859	+0.743
1959.8.5～8.12	7 680	0.043 9	+0.430	+0.587	+1.017	−0.200	+0.378	+0.178	+0.230	+0.965	+1.195
1959.8.18～8.24	9 480	0.028 6	−0.173	+1.362	+1.189	−0.004	−0.208	−0.212	−0.177	+1.154	+0.977
合　计			+1.822	+3.879	+5.701	+0.546	+0.194	+0.740	+2.368	+4.073	+6.441

钱宁等(1987)曾总结评述了 20 世纪 80 年代以前对黄河下游河道冲淤特性的研究，从不同时间尺度阐述了黄河下游的冲淤特点。对于年际的冲淤变化而言，利用1950～1977 年的资料分别绘制了黄河下游冲淤量与水沙量以及来沙系数的关系如图 1-1 和图 1-2所示。可以清楚地看出，淤积量与水沙量的多寡或者水沙搭配程度有关。来沙系数 $\overline{S}/\overline{Q}$ 越大，淤积量也越大，来沙系数 $\overline{S}/\overline{Q}$ 越小，淤积量也越小或为冲刷，冲淤的临界来沙系数为 0.015kg·s/m^6 左右。这与上述从 50 年代的大漫滩洪水资料得到的结论是一致的。

对于季节性的冲淤变化，可以从表 1-1 得到如下结论：①汛期 2 000～4 000m^3/s 的洪水在全下游基本上冲淤平衡，漫滩洪水淤积是黄河下游淤积的重要因素，但主要淤积在滩地上。②小于 2 000m^3/s 流量的中枯水时期，来沙颗粒较粗，而且全部淤积在主槽内。

对于一次洪水过程的冲淤变化，基本上遵循"涨水冲刷、落水淤积"的规律。

1.2　系统的资料分析工作

20 世纪 80 年代初期，随着水文资料的积累及计算机技术的普及，系统的资料分析有了可能，对泥沙进行分组冲淤规律的统计分析工作也从此开始。

黄河下游各站各年以及汛期的输沙率与流量有一定关系但比较散乱，悬移质泥沙分组冲淤规律也与此相似，如图 1-3 所示的 1977 年花园口、高村、艾山和利津四站的分组泥沙输沙率与流量关系(叶青超等，1994)。该研究还指出，汛期不管是粗沙还是细沙，都是高村以上河段淤积多，高村以下河段淤积少或略有冲刷。

"八五"攻关期间，对粗细泥沙冲淤规律进行了进一步的研究(赵业安等，1998；张仁等，1998)，按照三门峡水库不同运用时期黄河下游粗细泥沙的运动情况进行了分类资料分析，认为：①当水库下泄清水、河床冲刷时，水流含沙量逐渐恢复，细颗粒泥沙恢复慢、恢复距离长，中、粗颗粒泥沙恢复距离短。河床冲刷以细沙中粒径在 0.01～0.025mm 之间

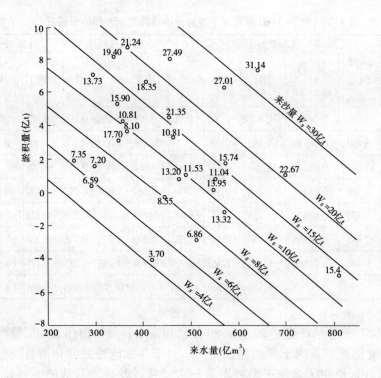

图 1-1　黄河下游 1950～1977 年年淤积量与水沙量的关系

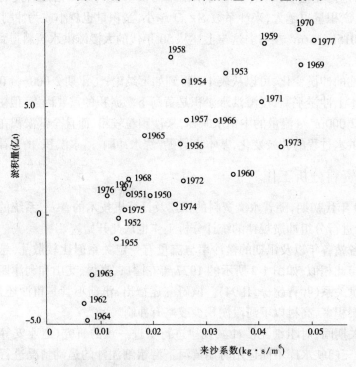

图 1-2　黄河下游 1950～1977 年年淤积量与来沙系数的关系

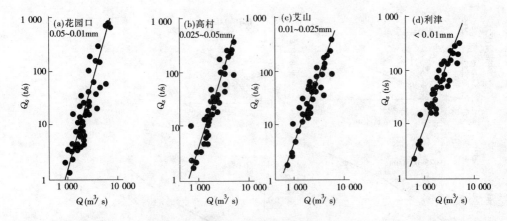

图 1-3　1977 年各站输沙率与流量关系

的泥沙为主,高村以上冲起的中、粗颗粒泥沙中有相当一部分要在高村、艾山以下河段淤积下来,其冲刷量决定于清水水量的大小,如图 1-4 所示。②在水库集中排沙时,下游河道严重淤积,淤积量占来沙量的 60%～70%,初期淤积部位在高村以上,以后逐渐下移,其中粗、中颗粒泥沙主要淤在花园口以上河段,高村以上河段淤积量与来沙量关系密切。③在蓄清期汛初水库小水排沙(粒径变化范围为 0.005～0.042mm)时,泥沙淤积主要在花园口以上河段,粗沙淤积量占来沙量的 70%、细沙占 30% 左右,淤积量取决于来沙量,与泥沙粗细、流量无关,如图 1-5 所示。

对不同洪水来源时下游河道粗细泥沙冲淤调整的研究认为:①多沙粗泥沙来源区的洪水,粗、中、细沙全面淤积。②对于细沙来源区洪水,淤积比明显降低,粒径大于 0.1mm 的泥沙基本上不出利津。高村以上河段各粒径组泥沙全面淤积,艾山以下河道则出现冲细淤粗。③少沙来源区洪水,下游河道中细泥沙普遍冲刷,但大于 0.1mm 的极粗泥沙淤积。

在不同流量级洪水情况下,粗细泥沙的冲淤规律是:①对于洪峰期平均含沙量小于 30kg/m³ 的洪水,当洪峰期平均流量小于 1 500m³/s 时,各粒径组泥沙基本都处于淤积状态;当洪峰期平均流量大于 1 500m³/s 时,各粒径组泥沙基本都处于冲刷状态。②对于洪峰期平均含沙量在 30～140kg/m³ 之间的中等含沙量洪水,下游河道各级流量各级泥沙都要淤积;流量越大,泥沙输送的距离越远,主要淤积部位下移。③对于日平均含沙量大于 300kg/m³ 的高含沙洪水,随着全沙淤积量的增加,粗泥沙淤积量增加的幅度较大,细沙淤积量增加的幅度较小;粗泥沙的淤积主要发生在高村以上河段。

张仁等(1998)也提到了黄河下游不同粗细泥沙的冲淤特性,从汛期和非汛期的角度进行了统计分析,认为冲淤沿程分布是:汛期细沙为两头河段冲、中间河段淤,中沙和粗沙则为上段河道淤、下段河道冲;非汛期各组泥沙都为上段河道冲、下段河道淤,粗沙和中沙明显地表现为"搬家"现象。

黄河水利委员会勘测规划设计研究院[1]在进行小浪底水库运用方式研究,以及后来

---

[1]　黄河水利委员会勘测规划设计研究院,1997 年,小浪底水库运用方式研究黄河下游冲淤规律研究专题。

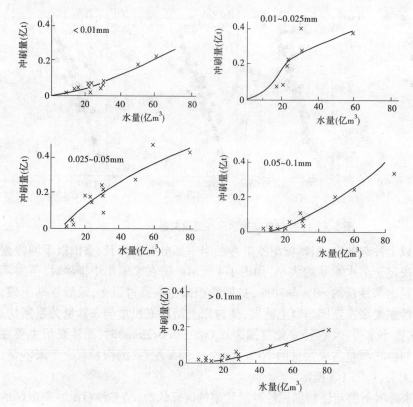

图 1-4　三门峡水库蓄水期下游河道不同粗细泥沙冲刷量与水量的关系

进行的"九五"国家重点科技攻关研究❶ 中,首先就输沙资料的合理性进行了分析,认为三门峡水文站地处峡谷地带,水沙掺混、紊动强烈,泥沙测验的代表性较好;而下游其他几个水文站的资料都须进行修正。具体修正方法是,首先根据各河段同流量水位的变化(汛期3 000m³/s或5 000m³/s,非汛期1 000m³/s)推算出冲淤量(称为水位法冲淤量),然后选择断面法、输沙平衡法和水位法中冲淤量相近的资料,建立水沙条件和河床边界与断面法修正沙量的关系,以此得出一个计算的冲淤量,该值实际上是将其他年份的资料与选用年份类比分析的结果,所得出的途径与上述三种方法不同,以此作为第四种方法的冲淤量。选用冲淤量时,首先由四种方法的成果综合比较,确定其冲淤性质,然后选用量值比较接近的数值作为冲淤量,当不同方法的结果差别较大时,取其均值作为采用值。

　　根据1960~1995年资料对不同水沙组合情况下下游河道的冲淤情况进行了统计❷,依含沙量的大小,将 36 年 397 场洪水划分为低含沙非漫滩洪水、中等含沙非漫滩洪水、较高含沙量非漫滩洪水、高含沙洪水和一般含沙量漫滩洪水,河道冲淤统计结果如表 1-4 所示,由此得到了不同水沙组合情况下下游河道各个河段的临界冲淤流量如表 1-5 所示。认为总体上讲,高村以上河段的临界冲淤流量随含沙量的增大而增大,高村以下河段的冲

---

❶ 黄河水利委员会勘测规划设计研究院,2001 年,小浪底水库初期调水调沙运用减轻黄河下游河道淤积关键技术研究。

❷ 黄河水利委员会勘测规划设计研究院,1999 年,黄河下游冲淤特性研究。

淤临界流量的影响因素较为复杂,除与小浪底含沙量相关外,还与上河段的河道冲淤调整、含沙组成变化等有关。除高含沙洪水外,山东河道的临界冲淤流量在 2 000～3 000m³/s之间。

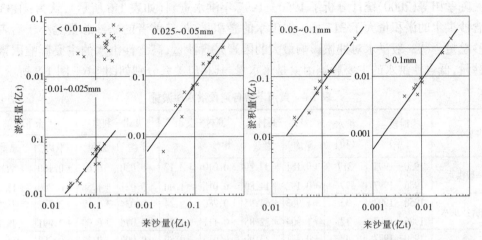

图 1-5 三门峡水库汛初排沙期花园口以上河道淤积量与来沙量的关系

表 1-4 1960～1995 年不同洪水特征及下游各河段的冲淤情况

洪水类型	水量 (亿 m³)	沙量 (亿 t)	场次 (次)	天数 (d)	各河段冲淤量(亿 t)				
					铁—花*	花—高*	高—艾*	艾—利*	全下游
低含沙非漫滩洪水	2 004.5	21.82	110	937	−11.63	−11.04	−2.42	−1.89	−26.98
中等含沙非漫滩洪水	3 314.2	123.99	190	1 592	+5.05	+2.10	−2.17	−4.86	+0.12
较高含沙量非漫滩洪水	715.9	78.30	51	358	+15.30	+13.66	+0.70	−0.13	+29.53
高含沙洪水	315.6	66.66	20	143	+12.03	+21.90	+2.93	+0.36	+37.22
一般含沙量漫滩洪水	947.4	36.23	26	265	−5.16	−0.14	2.93	−3.87	−6.24
合计	7 297.6	327.00	397	3 295	+15.59	+26.48	+1.98	−10.39	+33.65

注:*为各河段简称,铁指铁谢;花指花园口;高指高村;艾指艾山;利指利津。下同。

表 1-5 黄河下游各含沙量级洪水各河段的临界冲淤流量

含沙量级(kg/m³)	0～20	20～30	30～40	40～60	60～80	>80	高含沙
花园口以上	<800	2 300	4 000	4 000	全淤	全淤	全淤
花园口—高村	900	2 000	2 800	3 500	全淤	全淤	全淤
高村—艾山	2 000	2 000	3 000	2 500	2 000	2 500	全淤
艾山—利津	2 300*	2 000*	2 500*	2 000*	2 000*	2 800*	4 000*

注:带 * 者为艾山站流量,其余为三黑小(三门峡、黑石关、小董)流量。

统计分析认为,①低含沙非漫滩洪水时下游四个河段(铁谢—花园口、花园口—高村、高村—艾山、艾山—利津)全部表现为冲刷,沿程分布为上段河道大、下段河道小。②中等含沙非漫滩洪水时高村以上河段淤积、高村以下河段冲刷。③较高含沙量非漫滩洪水时淤积比较严重,淤积的沿程分布为上段河道大、下段河道小,主要发生在高村以上河道,艾山以下河道微冲。④一般含沙量漫滩洪水时下游主要表现为冲刷,但高村—艾山河段为淤积。⑤对于分组泥沙而言,四个河段细沙(小于0.025mm)的排沙比为101.2%,中沙(0.025~0.05mm)的排沙比为90.2%,粗沙(大于0.05mm)的排沙比为67.0%,认为粗泥沙是下游淤积的主体。

陈孝田等(2000)统计分析了1950~1997年洪水资料(如表1-6所示),认为:①33场高含沙洪水的淤积量大于317场一般洪水的淤积量,虽然前者的来沙总量远小于后者的来沙总量。②一般洪水对冲淤影响最大的因素是含沙量,高含沙洪水的主要影响因素是来沙量,低含沙洪水的主要影响因素是来水量,其相应关系分别如图1-6~图1-8所示。

表1-6 黄河下游各河段洪水冲淤量 （单位:亿t）

洪水分类	时段 (年)	洪水 (场)	铁谢—高村		高村—艾山		艾山—利津		全下游	
			平均	总量	平均	总量	平均	总量	平均	总量
一般洪水	1950~1997	317	+0.181	+57.29	+0.010	+3.12	-0.030	-9.61	+0.160	+50.79
	1986~1997	77	+0.192	+14.80	-0.013	-1.00	+0.021	+1.58	+0.200	+15.38
高含沙洪水	1950~1997	33	+1.968	+64.95	+0.280	+9.24	+0.034	+1.12	+2.282	+75.32
	1986~1997	12	+1.904	+22.85	+0.111	+1.33	+0.075	+0.90	+2.091	+25.09
低含沙洪水	1950~1997	48	+0.271	-13.00	-0.019	-0.89	-0.007	-0.32	-0.297	-14.21
	1986~1997	11	-0.209	-2.30	+0.006	+0.06	+0.026	+0.29	-0.177	-1.95
历次洪水	1950~1997	398	+0.256	+102.09	+0.026	+10.39	-0.023	-9.06	+0.260	+103.41
	1986~1997	100	+0.424	+42.44	+0.017	+1.69	+0.033	+3.30	+0.474	+47.42

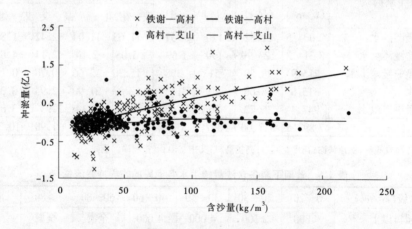

图1-6 黄河下游一般洪水冲淤量与含沙量的关系

申冠卿等(2000)在分析1986年以来黄河下游河道演变时指出,尽管黄河下游河道严重萎缩,但洪水期"主槽冲刷、滩地淤积,涨水冲刷、落水淤积"的演变特性并未发生变化。

对黄河下游冲淤特性的认识为利用小浪底等水库进行水沙调节奠定了基础,2002年和2003年进行的调水调沙试验证明(李国英,2002),利用水库调节水沙搭配,将不协调的水沙搭配调节为协调的水沙搭配关系,是有利于输沙入海、减轻下游河道淤积甚至冲刷下游河道的有效途径之一。

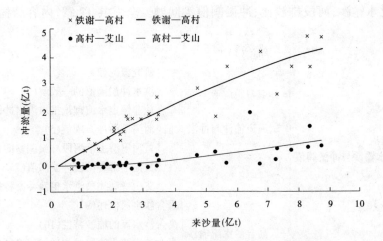

图 1-7 黄河下游高含沙洪水冲淤量与洪水沙量的关系

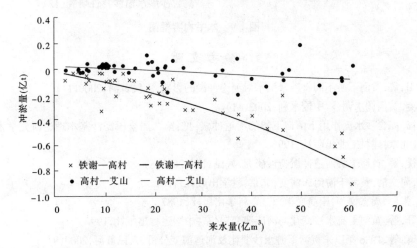

图 1-8 黄河下游低含沙洪水冲淤量与洪水水量的关系

1.3 本书编写的构思与布局

以上综述表明,对于黄河下游冲淤特性的认识实际上是一个由点到面、由简单到复杂、由定性到初步定量的过程。对于全河而言,①黄河下游全沙淤积量与来沙系数 $\overline{S/Q}$ 成某种正比例关系。②低含沙洪水各河段冲刷,上段多冲、下段少冲,且冲刷量与洪水水量有关;高含沙洪水上段多淤、下段少淤,淤积量与洪水沙量有关;一般洪水多为上淤下冲,冲淤量与洪水平均含沙量有关。③各河段冲淤临界流量与来水含沙量可能有某种关系。④对于分组泥沙而言,低含沙洪水时各组泥沙"大水冲刷、小水淤积",沿程分布为上下段河道冲刷、中段河道淤积;高含沙洪水粗沙多淤、细沙少淤,沿程分布为上段多淤、下段少淤;一般洪水各组泥沙淤积,且淤积部位随流量增加而下移。⑤冲刷主要与水量有关,淤积主要与沙量有关。⑥粗沙是下游河道淤积的主体。

本书的编写主要汇集了作者对黄河中、下游以及黄河的最大一级支流渭河下游的研究成果,试图以输沙以及冲淤阈值为出发点,以渭河下游河道以及黄河下游河道为例,来讨论黄河洪水输沙、河段排沙比、冲淤阈值等问题。全书共 12 章，内容结构如图 1-9 所示。

- 黄河洪水输沙与冲淤阀值
  - 一、绪论(1)
  - 二、河道输沙与冲淤阀值
    - 研究概况(2)
    - 洪水冲淤阈值的一般解(3)
    - 从非恒定水流理论推求洪水冲刷深度(4)
    - 渭河下游冲淤阈值(5)
    - 黄河下游上下河段冲淤调整的关系(6)
    - 黄河下游各河段冲淤阈值(7)
    - 艾山—利津段洪水粗沙冲淤特性探讨(8)
  - 三、高含沙水流输沙
    - 高含沙水流概述(9)
    - 高含沙水流的输沙特性(10)
    - 高含沙水流泥沙组成与逆行沙浪(11)
    - 高含沙洪水输沙特性研究(12)

图 1-9　本书内容框图

参 考 文 献

[1] 陈孝田，等. 黄河下游不同含沙量洪水对河道冲淤的影响. 人民黄河，2000(11)

[2] 李国英. 黄河调水调沙. 中国水利，2002(11)

[3] 刘继祥. 高含沙水流作用下渭河下游的河道冲淤. 见：第二届全国泥沙基本理论研究学术讨论会论文集. 北京：建材工业出版社，1995

[4] 刘继祥，等. 黄河下游河道冲淤特性研究. 人民黄河，2000(8)

[5] 钱宁，周文浩. 黄河下游河床演变. 北京：科学出版社，1964

[6] 钱宁，张仁，周志德. 河床演变学. 北京：科学出版社，1987

[7] 钱意颖，等. 黄河干流水沙变化与河床演变. 北京：中国建材出版社，1993

[8] 申冠卿，等. 1986 年以来黄河下游水沙变化及河道演变分析. 人民黄河，2000(9)

[9] 叶青超. 黄河流域环境演变与水沙运行规律研究. 济南：山东科学技术出版社，1994

[10] 张仁，等. 拦减粗泥沙对黄河河道冲淤变化影响. 郑州：黄河水利出版社，1998

[11] 赵文林. 黄河泥沙. 郑州：黄河水利出版社，1996

[12] 赵业安，周文浩，费祥俊，等. 黄河下游河道演变基本规律. 郑州：黄河水利出版社，1998

第二章　研究概况

2.1　以往经验关系

尹学良(1978,1995)较早提出了黄河下游"大水冲刷、小水淤积"及冲淤分界流量在1 800m³/s左右的论断。他在研究黄河口河段以及山东河段的河床演变时发现,断面的冲淤变化有明显的冲淤规律:7月入汛以后,河槽冲刷降低,9、10月份冲至最深;以后回淤一部分,整个汛期有净冲深。11月以后非汛期河床逐渐淤高;凌汛期有些冲刷;过后又继续淤高,直到翌年的6月底,淤积到比前一年同期还高的水平,如图2-1所示。

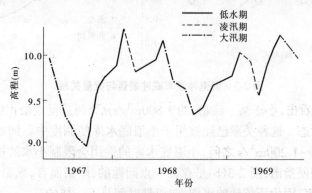

图 2-1　利津站月平均河底高程的变化

显然这种变化与流量大小有关系,随后进一步分析了流量过程与河底平均高程的关系,如图2-2所示。可以看出,不论是汛期还是非汛期,流量较小时河床就淤积抬高;流量较大时河床就冲刷下切。其冲淤临界流量在1800～2000m³/s之间。当流量小于临界

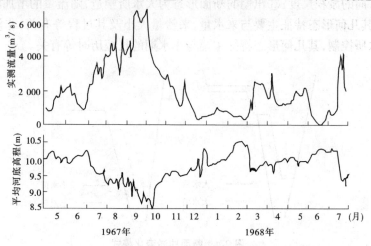

图 2-2　利津站月平均河底高程随流量的变化

流量时河道表现为淤积;当流量大于临界流量时河道表现为冲刷。在以后的研究中,这种观点也被证明大部分是正确的(梁志勇等,1993,1994;齐璞等,1993),这种关系被进一步提炼为如图 2-3 所示的半理论与经验关系。其中半理论关系是由输沙率 Q_s 与流量 Q 关系导出的。即

$$Q_s = K_1 Q^{m_1} \tag{2-1}$$

式中:K_1 为系数;m_1 为指数。

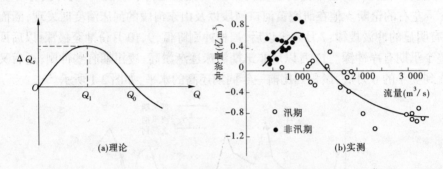

图 2-3　河道冲淤率或冲淤量与流量关系

从图 2-3 可以看出,小于某一流量(约 1 800m³/s)后,河道呈现淤积状态;大于该流量后河道呈现冲刷状态。这种关系已经被用于小浪底水库的调度中。例如,小水期间淤积最大的流量在 800～1 200m³/s 之间,小浪底水库的运用会限制小水的排泄,这种小水淤积会明显降低。顺便指出,图 2-3(b)是存在一点问题的,严格而言,纵坐标不应当是冲淤量,而应当是冲淤率,因为所统计的汛期、非汛期时间是不一样的。

下游河道的这种冲淤变化特点可以概括为如图 2-4 所示的冲淤概化模式:①河槽大水期冲刷,小水期淤积,冲刷的同时河槽展宽,淤积的同时河槽束窄;②大水期过后,河槽单一,小水期过后,河槽为复式河槽或存在嫩滩,由于主流靠岸,河宽方向的淤积尺度要远大于水深方向的淤积尺度;③汛期的断面形态为大水所塑造,随流量的增加河宽也增加并趋于稳定,其几何形态特征主要与来水量、来沙量大小及其过程等有关,非汛期的断面形态则为小水所控制,其几何形态特征主要与小水期的长短历时等有关。

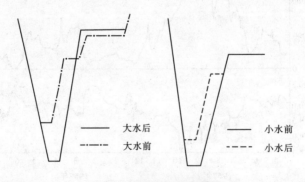

图 2-4　断面冲淤变化模式

对于水沙搭配关系式(2-1)相对稳定的黄河下游艾山以下河段而言,具有明显的"大

水冲刷、小水淤积"特性。对于水沙关系散乱的黄河下游艾山以上河段而言,"大水冲刷、小水淤积"不明显。尹学良也指出,黄河下游河道的冲淤分界流量在花园口附近及其以上河段可能偏大一些,并且在 2 000~4 000 m³/s 范围之间,认为出现这种情况可能与该河段滩槽高差较小,水流容易漫滩有关。

实际上,对于黄河下游艾山以上河段而言,水沙关系已经不能再用式(2-1)描述,可以用更为一般的水沙关系式来描述。即

$$Q_s = K_2 Q^{m_2} S_0^{\beta} \tag{2-2}$$

式中:K_2 为系数;m_2 为大于1的指数;β 为小于1的指数,当 $\beta=0$ 时,该式与式(2-1)等价;S_0 为上站水流的含沙量。

泥沙"多来多淤多排、少来少淤(或冲刷)少排"的概念就是根据这一关系提出的(赵文林,1996)。情形之一(泥沙多来):当河段上站来水含沙量较大时,同流量下的输沙率会大于河段的输沙能力,从而导致泥沙淤积,大的数量越多,泥沙淤积量越大。情形之二(泥沙少来):当河段上站来水含沙量较小时,同流量下的输沙率也小,若输沙率仍大于输沙能力则会淤积,但数量小于情形之一,称之为少淤;若输沙率小于输沙能力则会发生冲刷。显然,此时的冲淤临界流量应当与上站含沙量有关。

"多来多淤多排、少来少淤少排"的概念可能不仅适用于黄河下游,也适用于其他多沙河流。但是就冲淤临界条件而言只是一个定性的描述,还没有达到定量的水平。而"大水冲刷、小水淤积"的概念却有定量的标准,例如尹学良所提出的黄河艾山以下河段冲淤临界流量为 1 800 m³/s 左右。"大水冲刷、小水淤积"的概念虽然存在明确的冲淤临界流量,但是却不一定适用于整个黄河干支流。

对于黄河下游场次洪水而言,淤积量不仅取决于流量,而且还与来沙系数有关。图 2-5 为利用黄河下游 1952~1974 年 80 次洪水资料的统计结果,点群遵循如下关系

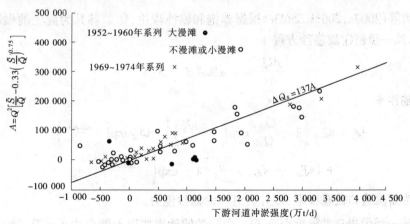

图 2-5　黄河下游洪峰平均淤积强度与水沙关系(钱宁等,1987)

$$\Delta Q_s = 137 Q^2 \left[\frac{\overline{S}}{\overline{Q}} - 0.33 \left(\frac{\overline{S}}{\overline{Q}} \right)^{0.75} \right] \tag{2-3}$$

式中:ΔQ_s 为下游河道的淤积强度,t/d,负值为冲刷;$\overline{Q}$ 为洪峰平均流量,m³/s;$\overline{S}$ 为洪峰

的平均含沙量,kg/m^3。

从上式可以得到黄河下游河道的冲淤临界条件为

$$\frac{\overline{S}}{\overline{Q}} = 0.01 \qquad (2-4)$$

但黄河小北干流是一个例外。在未建三门峡水库之前,除所谓的"揭河底"现象之外,小北干流河道汛期多发生淤积(大水淤积),非汛期多发生冲刷(小水冲刷);三门峡水库运用以来对这一冲淤特性稍有影响,主要在非汛期,但大水淤积、小水冲刷的格局未变。根据实测资料(程龙渊等,1999),汛期6~9月淤积量与该期间的平均含沙量关系为

$$V_1 = 0.015\ 8S_0 - 0.034 \qquad (2-5)$$

式中:V_1 为6~9月断面法实测的淤积量,亿 t;S_0 为6~9月龙门站的平均含沙量,kg/m^3。

非汛期的冲刷量为

$$V_2 = 2.222\frac{Q_0 J}{Z_{1\,000} - 325} - 0.058\ 4 \qquad (2-6)$$

式中:V_2 为10月至翌年5月断面法实测的冲刷量,亿 t;Q_0 为10月至翌年5月龙门站的平均流量,m^3/s;J 为龙门到潼关河段的比降;$Z_{1\,000}$ 为潼关站 $1\,000m^3/s$ 流量相应的水位,m。

刘继祥等[1] 根据黄河下游洪水资料按流量和含沙量进行了分级统计分析,首次提出了不同河段分流量级冲淤临界流量与含沙量的关系,一般为含沙量越大,冲淤临界流量越大。

2.2 相对清水冲刷、相对浑水淤积

梁志勇等(2003a,2003b,2003c)根据非饱和输沙理论,仿照韩其为院士的做法(韩其为,1980),从一维恒定流输沙方程

$$\frac{\mathrm{d}Q_s}{\mathrm{d}x} = -\alpha B\omega(S - S_*) \qquad (2-7)$$

可以解得输沙率

$$Q_s = Q_{s*}\left[1 - \frac{Q_{s0*}}{Q_{s*}}\exp\left(-\frac{\alpha\omega X}{q}\right)\right] + Q_{s0}\exp\left(-\frac{\alpha\omega X}{q}\right)$$
$$+ (Q_{s0*} - Q_{s*})\frac{q}{\alpha\omega X}\left[1 - \exp\left(-\frac{\alpha\omega X}{q}\right)\right] \qquad (2-8)$$

式中:Q_{s0} 为河段进口的输沙率;Q_{s0*} 为进口的输沙能力。

如果某一河段进口的输沙率为 Q_{s0},出口的输沙率按以上两个式子计算,则可以得到这个河段的泥沙淤积率为

$$\Delta Q_s = Q_{s0} - Q_s$$

———————
❶ 刘继祥等,1999年,黄河下游冲淤特性研究,小浪底水库运用方式研究专题报告之二,黄河水利委员会勘测规划设计研究院。

$$= \left[1 - \exp\left(-\frac{\alpha\omega X}{q}\right)\right]\left[Q_{s0} - (Q_{s0*} - Q_{s*})\frac{q}{\alpha\omega X}\right] - \left[1 - \frac{Q_{s0*}}{Q_{s*}}\exp\left(-\frac{\alpha\omega X}{q}\right)\right]Q_{s*} \tag{2-9}$$

从上式可以看出,河段的泥沙淤积率不仅取决于河段进口的输沙率和河段输沙能力,而且还与含沙量的沿程衰减程度 $\exp(-\alpha\omega X/q)$、挟沙力的沿程变化($Q_{s0*} - Q_{s*}$)或 Q_{s0*}/Q_{s*} 等有关。上式也可以写成淤积比(河段的泥沙淤积率与进口断面的输沙率之比)的形式

$$\eta_s = \frac{\Delta Q_s}{Q_{s0}} = f_1 - f_2\frac{Q_{s*}}{Q_{s0}} \tag{2-10}$$

式中:$f_1 = \left[1 - \exp\left(-\frac{\alpha\omega X}{q}\right)\right]\left[1 - \frac{Q_{s0*} - Q_{s*}}{Q_{s0}}\frac{q}{\alpha\omega X}\right]$;$f_2 = 1 - \frac{Q_{s0*}}{Q_{s*}}\exp\left(-\frac{\alpha\omega X}{q}\right)$。

这就是某一长度为 X 的河段淤积比公式。淤积比是进口输沙率、进出口输沙能力三者比例关系,以及泥沙粗细、水流单宽流量、河段长度等的函数。在输沙能力沿程变化不大时,淤积比可以写成输沙能力与输沙率之比的函数关系。

令上式右端等于 0,便可得到恒定流情况下以悬移质为主的冲积河流中冲淤阈值方程为

$$\left[1 - \exp\left(-\frac{\alpha\omega X}{q}\right)_i\right]\left[\frac{Q_{s0i}}{Q_{s*i}} - \left(\frac{Q_{s0*i}}{Q_{s*i}} - 1\right)\left(\frac{q}{\alpha\omega X}\right)_i\right] = \left[1 - \frac{Q_{s0*i}}{Q_{s*i}}\exp\left(-\frac{\alpha\omega X}{q}\right)_i\right] \tag{2-11}$$

可以看出,冲淤临界流量与以下因素有关:①河段的进口含沙量。②进出口河道的输沙能力特性,即水沙搭配系数 K_0、K 和指数 m_0、m。③包含水、沙、边界等因素在内的参数 $\alpha\omega X/q$ 和河床纵比降 J。

结合三种输沙能力关系式

$$Q_{s*} = K(\rho QJ)^m \tag{2-12}$$

$$Q_{s*} = KQ^m \tag{2-13}$$

$$Q_{s*} = KQ^\alpha S_0^\beta \tag{2-14}$$

解出了冲淤临界流量计算公式

$$Q_0 = \left(\frac{S_0}{fK\rho^m J^m}\right)^{\frac{1}{m-1}} \tag{2-15}$$

$$Q_0 = \left(\frac{S_0}{fK}\right)^{\frac{1}{m-1}} \tag{2-16}$$

$$Q_0 = \frac{S_0^{\frac{1-\beta}{\alpha-1}}}{(fK)^{\frac{1}{\alpha-1}}} \tag{2-17}$$

其中,参数 f 的表达式为

$$f = \left(\frac{Q_{s0*}}{Q_{s*}} - 1\right)\frac{q}{\alpha\omega X} + \frac{1 - \frac{Q_{s0*}}{Q_{s*}}\exp\left(-\frac{\alpha\omega X}{q}\right)}{1 - \exp\left(-\frac{\alpha\omega X}{q}\right)} \tag{2-18}$$

冲淤流量的计算公式表明,临界流量与含沙量的某一次方成比例,还与其他水沙边界因素有关。

根据前述黄河下游各河段的冲淤临界流量与含沙量的关系(表1-5)绘制了高村以上河段两者的关系,如图2-6所示,而高村以下两个河段还有待于进一步研究。图中虚线为黄河下游高村以上河段情况,实线为渭河下游情况。该图表明:①同含沙量时黄河下游高村以上河段的临界流量大于渭河下游的,说明黄河下游更难以冲刷,而渭河下游较容易冲刷。②黄河下游高村以上河段冲淤临界流量与含沙量的关系指数大于渭河下游的,说明含沙量越大,黄河下游越不容易被冲刷,或者说渭河下游越容易冲刷。

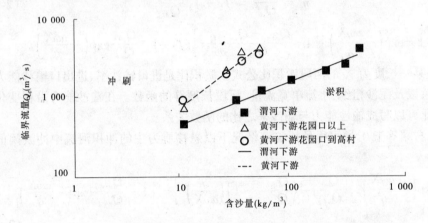

图2-6 渭河下游与黄河下游冲淤临界流量与含沙量关系

泥沙冲淤是由来沙量与输沙能力不相适应造成的,泥沙的冲与淤可能取决于水与沙的相对多寡,不同情况下的冲淤临界流量是不同的。

在沿程淤积情况下,泥沙颗粒越细,冲淤临界流量越小,河道越容易冲刷。

根据图2-6所示的冲淤图形,可以对河道冲淤特性做出新的解释,概化如图2-7所示(梁志勇等,2003d)。

按照流量与含沙量的对比关系,可以分成冲刷和淤积两个大区(分别为相对清水冲刷区、相对浑水淤积区),或五个小区:分别是清水冲刷区(绝对清水冲刷区)、相对清水冲刷区、中水不冲不淤区、相对浑水淤积区、绝对高浓度浑水淤积区。

当河段进口含沙量接近0时,不管流量是多少,河道都将处于清水冲刷区(绝对清水冲刷区);而当纵坐标流量接近0时,则不管含沙量是多少,河道都将处于(绝对)浑水淤积区,当流量、含沙量坐标在流量与含沙量的临界关系曲线上方时,河道处于相对清水冲刷区;当流量、含沙量坐标在流量与含沙量的临界关系曲线下方时,河道处于相对浑水淤积区;当流量、含沙量坐标在流量与含沙量的临界关系曲线的某点重合时,河道处于中水不冲不淤区。

这里相对清水、浑水的分界就是所谓的中水,其临界条件可由式(2-15)~式(2-17)得出(也就是输沙饱和的条件)

$$\frac{Q_c}{S_0^{\frac{1}{m-1}}} = \frac{1}{(fK\rho^m J^m)^{\frac{1}{m-1}}} \tag{2-19}$$

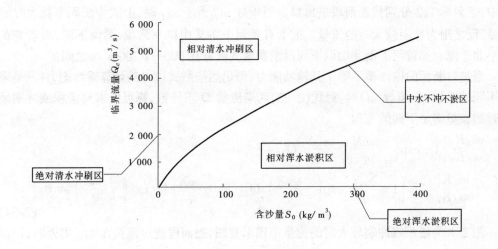

图 2-7　图解河道冲淤关系

$$\frac{Q_c}{S_0^{\frac{1}{m-1}}} = \frac{1}{(fK)^{\frac{1}{m-1}}} \tag{2-20}$$

$$\frac{Q_c}{S_0^{\frac{1-\beta}{\alpha-1}}} = \frac{1}{(fK)^{\frac{1}{\alpha-1}}} \tag{2-21}$$

当指数 $m=2$ 时,式(2-19)左端 $\dfrac{Q_c}{S_0^{\frac{1}{m-1}}} = \dfrac{Q_c}{S_0}$(其他两个式子的分析与此类似),相当于

所谓的来沙系数。为了更容易地理解其含义,此处将 $\dfrac{Q_c}{S_0^{\frac{1}{m-1}}}$ 称为水沙系数,而来沙系数 $\dfrac{Q_c}{S_0}$

可以作为特殊情况。当水沙系数 $\dfrac{Q_c}{S_0^{\frac{1}{m-1}}}$ 大于临界值 $\dfrac{1}{(fK)^{\frac{1}{m-1}}}$ 时,河道水流为相对清水,河

道将处于"清水冲刷"状态;当水沙系数 $\dfrac{Q_c}{S_0^{\frac{1}{m-1}}}$ 小于临界值 $\dfrac{1}{(fK)^{\frac{1}{m-1}}}$ 时,河道水流为相对浑

水,河道处于"浑水淤积"状态;当水沙系数 $\dfrac{Q_c}{S_0^{\frac{1}{m-1}}}$ 等于临界值 $\dfrac{1}{(fK)^{\frac{1}{m-1}}}$ 时,河道水流为中

水,河道处于不冲不淤状态。简单起见,可称之为"相对清水冲刷、相对浑水淤积"。

河道泥沙的淤积率为(梁志勇等,2003a)

$$\Delta Q_s = \left[1 - \exp\left(-\frac{\alpha\omega X}{q}\right)\right]\left[Q_{s0} - (Q_{s0*} - Q_{s*})\frac{q}{\alpha\omega X}\right] - \left[Q_{s*} - Q_{s0*}\exp\left(-\frac{\alpha\omega X}{q}\right)\right] \tag{2-22}$$

当进口断面的输沙率等于其输沙能力,并按照式(2-13)计算输沙能力时,对上式两端
流量 Q 求导数,则可以求得淤积或冲刷较大时的流量为

$$Q_{Ms} = \left[\frac{m_1 K_1}{m_2 K_2}\right]^{\frac{1}{m_2 - m_1}} \tag{2-23}$$

其中,下角标 1、2 分别代表河段进出口。当指数 m_2 大于 m_1 时,上式为淤积率较大时的流量,反之则为冲刷较大时的流量。前者有黄河下游艾山以下河段、渭河下游,后者有黄河小北干流。如黄河下游艾山以下河段淤积最大流量在 $800 \sim 1\,200\mathrm{m}^3/\mathrm{s}$ 之间。

当进口断面的输沙率不等于其输沙能力,但仍然按照式(2-13)计算输沙能力(只是采用不同的系数 K、指数 m)时,对式(2-22)两端流量 Q 求导数,则可以求得淤积或冲刷最大时的流量满足下面的方程

$$\frac{m_2 K_2}{m_0 K_0}\Big[1 - \exp\Big(-\frac{\alpha\omega X}{q}\Big) - \frac{\alpha\omega X}{q}\Big]Q_{Ms}^{m_2 - m_0}$$
$$-\frac{m_1 K_1}{m_0 K_0}\Big\{1 - \Big[1 + \frac{\alpha\omega X}{q}\Big]\exp\Big(-\frac{\alpha\omega X}{q}\Big)\Big\}Q_{Ms}^{m_1 - m_0} + \frac{\alpha\omega X}{q}\Big[1 - \exp\Big(-\frac{\alpha\omega X}{q}\Big)\Big] = 0$$

$$(2\text{-}24)$$

图 2-8 为淤积或冲刷较大时的流量范围示意图,当河段进口流量在 Q_{Ms} 附近时,河段的淤积量或冲刷量较大。例如为了减小黄河下游或渭河下游的泥沙淤积,应当避免出现这一级的流量。对于黄河下游河道而言可以通过小浪底等水库的调节来实现。

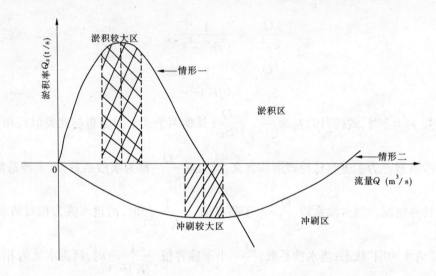

图 2-8　淤积较大区或冲刷较大区示意图

参 考 文 献

[1] 程龙渊,等.三门峡水库水文泥沙实验研究.郑州:黄河水利出版社,1999
[2] 韩其为.悬移质不平衡输沙的研究.见:第一次国际泥沙学术讨论会论文集(第二卷).北京:光华出版社,1980
[3] 韩其为,等.水库淤积与河床演变一维数学模型.泥沙研究,1987(3)
[4] 梁志勇,等.黄河下游漫滩洪水水沙输移的数学模型及其初步验证.水利学报,1992(10)
[5] 梁志勇,等.黄河下游断面形态与水沙关系及其数学模拟方法.地理研究,1993(2)
[6] 梁志勇,等.水沙条件对黄河下游河床演变影响的分析途径.水利水运科学研究,1994(1~2)
[7] 梁志勇,曾庆华,周文浩.黄河下游河床演变的数学模型及其初步应用.水利学报,1994(5)
[8] 梁志勇,姚文广,李文学,张翠萍.多沙河流的河性.北京:中国水利水电出版社,2003a

[9] 梁志勇,李文学,张翠萍.冲积河流冲淤临界流量的探讨.水力发电学报,2003(3)b

[10] 梁志勇,李文学,张翠萍.渭河下游冲淤临界流量研究.泥沙研究,2003(6)c

[11] 梁志勇,李文学,张翠萍.渭河与黄河下游冲淤特性研究.人民黄河,2003(10)d

[12] 刘月兰,等.黄河下游河道冲淤计算方法.泥沙研究,1987(3)

[13] 刘继祥,等.黄河下游河道冲淤特性研究.人民黄河,2000(8)

[14] 齐璞,等.黄河高含沙水流运动规律及应用前景.北京:科学出版社,1993

[15] 钱宁,张仁,周志德.河床演变学.北京:科学出版社,1987

[16] 尹学良.黄河下游河道的改造问题.见:河床演变河道整治论文集.北京:中国建材工业出版社,
1978

[17] 尹学良.黄河下游的河性.北京:中国水利水电出版社,1995

[18] 赵文林.黄河泥沙.郑州:黄河水利出版社,1996

第三章 洪水冲淤阈值的一般解

3.1 恒定流输沙方程的一般解

在河段水流挟沙力沿程呈直线变化、$\alpha\omega/q$ 沿程变化不大时,第二章推导出了的冲淤阈值方程。但在分析黄河下游河道泥沙冲淤变化时,河段水流挟沙力沿程可能并非直线变化、$\alpha\omega/q$ 沿程变化可能较大,因此第二章的分析结论可能有一定的适用条件或限制条件。本章将对此进一步分析(梁志勇,2004)。

一维恒定流输沙方程可以写成

$$\frac{\mathrm{d}Q_s}{\mathrm{d}x} = -\frac{\alpha\omega}{q}(Q_s - Q_{s*}) \tag{3-1}$$

或

$$\frac{\mathrm{d}(Q_s - Q_{s*})}{\mathrm{d}x} = -\frac{\alpha\omega}{q}(Q_s - Q_{s*}) - \frac{\mathrm{d}Q_{s*}}{\mathrm{d}x} \tag{3-2}$$

其一般解为

$$Q_s - Q_{s*} = \left[\int -\frac{\mathrm{d}Q_{s*}}{\mathrm{d}x}\exp\left(\int\frac{\alpha\omega}{q}\mathrm{d}x\right)\mathrm{d}x + C\right]\exp\left(-\int\frac{\alpha\omega}{q}\mathrm{d}x\right) \tag{3-3}$$

Q_{s*} 的沿程变化可以用挟沙力的变化来代表。黄河下游水流挟沙力的资料难以取得,不过我们可以对含沙量的沿程变化情况做一初步分析。图 3-1 为 1960~1999 年历次洪峰按三门峡水库运用方式不同统计的三个阶段含沙量的沿程变化情况。随着三门峡水库运用方式的变化,含沙量(场次的算术平均)的沿程变化也略有不同。分析表明,含沙量随距离的函数关系一般可以用三种形式表达:一是直线关系,二是指数函数关系,三是多项式关系。其中直线关系的相关系数最低(在 0.79 以上),二次多项式函数关系的相关系数最高(在 0.97 以上)。仿照含沙量的沿程变化关系,将 Q_{s*} 的沿程变化关系都用二次三项式来表达,即

$$Q_{s*} = aX^2 + bX + c \tag{3-4}$$

则

$$\frac{\mathrm{d}Q_{s*}}{\mathrm{d}X} = 2aX + b \tag{3-5}$$

按照积分中值定理,取区间上的某一中值

$$M = \frac{\alpha\omega}{q} = \frac{1}{X}\int_0^X \frac{\alpha\omega}{q}\mathrm{d}x \tag{3-6}$$

可以得到

$$\int -\frac{\mathrm{d}Q_{s*}}{\mathrm{d}x}\exp(MX)\mathrm{d}x = \left(-2a\frac{MX-1}{M^2} - b\frac{1}{M}\right)\exp(MX) \tag{3-7}$$

$$Q_s - Q_{s*} = \left[\left(-2a\frac{MX-1}{M^2} - b\frac{1}{M}\right)\exp(MX) + C\right]\exp(-MX) \tag{3-8}$$

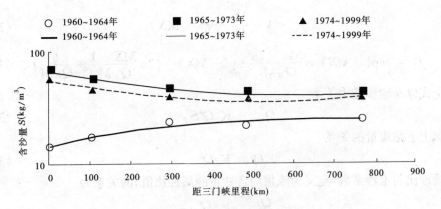

图 3-1 含沙量 S 沿程变化

利用河段进口边界条件

$$(Q_s - Q_{s*})\big|_{x=0} = Q_{s0} - Q_{s0*} \tag{3-9}$$

可以求得常数

$$C = Q_{s0} - Q_{s0*} + \left(b\frac{1}{M} - 2a\frac{1}{M^2}\right) \tag{3-10}$$

代入式(3-8)可得一般解为

$$Q_s = Q_{s*} + (Q_{s0} - Q_{s0*})\exp(-MX)$$
$$+ \frac{bM - 2a}{M^2}\exp(-MX) - \left(2a\frac{MX-1}{M^2} + \frac{b}{M}\right) \tag{3-11}$$

考虑到

$$a = \frac{Q_{s*} - Q_{s0*}}{X^2} \tag{3-12}$$

$$b = \frac{Q_{s*} - Q_{s0*}}{X} \tag{3-13}$$

则一般解为

$$Q_s = Q_{s*} + (Q_{s0} - Q_{s0*})\exp(-MX) - \frac{Q_{s*} - Q_{s0*}}{MX}\left[3 - \exp(-MX)\right]$$
$$+ \frac{2(Q_{s*} - Q_{s0*})}{M^2 X^2}\left[1 - \exp(-MX)\right] \tag{3-14}$$

与式(2-8)相比,上式右端两项有变化,增加了

$$-\frac{2(Q_{s*} - Q_{s0*})}{MX} + \frac{2(Q_{s*} - Q_{s0*})}{M^2 X^2}\left[1 - \exp(-MX)\right] \tag{3-15}$$

实际上,挟沙力沿程线性变化项已经占据了整个挟沙力的主要部分,非线性项只占整个挟沙力的较小部分或者是高阶项,可以忽略不计。

由此可得到排沙比(河段出口输沙率与进口输沙率之比)为

$$\lambda_s = \frac{Q_s}{Q_{s0}} = f_1\frac{Q_{s*}}{QS} + f_2 \tag{3-16}$$

其中

$$f_1 = 1 - \frac{Q_{s0*}}{Q_{s*}} \exp(-MX) \tag{3-17}$$

$$f_2 = \exp(-MX) + \frac{bM - 2a}{Q_{s0} M^2} \exp(-MX) - \left(2a \frac{MX - 1}{Q_{s0} M^2} + \frac{b}{Q_{s0} M} \right) \tag{3-18}$$

由上式以及输沙能力关系

$$Q_{s*} = K_1 Q^\alpha S_{\pm}^\beta \tag{3-19}$$

并考虑到上下站流量的关系

$$Q = K_2 Q_{\pm}^\gamma \tag{3-20}$$

可得到排沙比与水沙系数(定义为流量与含沙量的某种比值)的关系为

$$\lambda_s = \frac{Q_s}{Q_{s0}} = f'_1 \frac{Q^{\alpha\gamma - 1}}{S^{1-\beta}} + f_2 \tag{3-21}$$

式中：K_1、K_2 为系数；α、β、γ 为指数；系数

$$f'_1 = K_1 K_2 f_1 \tag{3-22}$$

实际上,挟沙力沿程线性变化项已经占据了整个挟沙力的主要部分,非线性项只占整个挟沙力的较小部分或者是高阶项,可以忽略不计。为便于实际应用,可将这些变化考虑到有关系数和指数当中,可将式(3-21)修正为

$$\lambda_s = \frac{Q_s}{Q_{s0}} = f'_1 \left(\frac{Q}{S^{\frac{1-\beta}{\alpha\gamma - 1}}} \right)^n + f_2 \tag{3-23}$$

式中：Q 和 S 分别为三黑小(代表三门峡、黑石关、小董三站,下同)洪水平均流量和含沙量；Q_{max} 为三黑小洪水日均最大流量；n、f'_1 和 f_2 分别为指数或系数。

这样排沙比等于 1 时的冲淤阈值方程中水沙系数 $\dfrac{Q}{S^{\frac{1-\beta}{\alpha\gamma - 1}}}$ 等于某一常数,即

$$\frac{Q}{S^{\frac{1-\beta}{\alpha\gamma - 1}}} = \left(\frac{1 - f_2}{f'_1} \right)^{1/n} \tag{3-24}$$

3.2 包含漫滩洪水在内的冲淤临界条件

我们曾将黄河下游河道的平面形态概化成两种类型(梁志勇等,1989、2000),一种是顺直藕节状河道,平面上宽窄相间,收缩段与开阔段交替出现；另外一种是弯曲型河道,弯道左右摆动,滩地左右交叉出现,如图 3-2 所示的后两种。Ⅱ型相当于前者(游荡型河段),Ⅲ型相当于后者(弯曲型河段)。

当洪水漫滩后,一部分水流从窄段进入宽段或者从河槽漫入滩地,滩槽水沙产生交换,泥沙在滩地大量落淤后较清的水流又汇入河槽,滩槽水流发生掺混,河槽水流的含沙量降低,河槽发生冲刷。从而形成滩地淤积、河槽冲刷或少淤,含沙量沿程衰减速度或恢复饱和输沙速度加快。

在进行黄河下游河道水沙运动的数学模拟时,我们曾导出了以下形式的漫滩洪水输沙方程(梁志勇等,1989、2000)

$$\frac{dQ_{cs}}{dx} = -\alpha B_c \omega (S_c - S_{c*}) - M q_f (S_f - S_{f*}) \tag{3-25}$$

以及漫滩洪水含沙量与河槽含沙量的关系

$$S_f = \mu S_c = \frac{\exp\left(\dfrac{6\omega}{\kappa u_*}\dfrac{h_f + \Delta h}{H}\right) - 1}{\exp\left(\dfrac{6\omega}{\kappa u_*}\right) - 1} S_c$$

(3-26)

式中：Q_{cs} 为水流的输沙率；S_c 和 S_{c*} 分别为
河槽水流的含沙量和挟沙力；α 为某一系数，
其大小等于河床附近的含沙量与垂线平均含
沙量的比值；B_c 为河槽宽度；ω 为泥沙沉速；
S_f 和 S_{f*} 分别为滩地水流的含沙量和挟沙

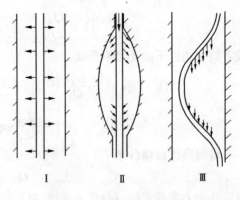

图 3-2　河道平面形态分类

力；q_f 为漫滩水流的单宽流量；κ 为卡门常数；u_* 为摩阻流速；h_f 为沿程水头损失。

由以上两个式子可以得到

$$\frac{\mathrm{d}Q_{cs}}{\mathrm{d}x} = -\alpha B_c \omega (S_c - S_{c*}) - M q_f (\mu S_c - S_{f*}) \sin\varphi \tag{3-27}$$

仿照韩其为院士的做法（韩其为,1980、1987），假定挟沙力沿程为线性变化，则从上式
可以解得出口河槽的含沙量（梁志勇等,1989、2000）

$$S_c = \frac{a S_{c*} + b S_{f*}}{r} \left[1 - \frac{a S_{c0*} + b S_{f0*}}{a S_{c*} + b S_{f*}} \exp\left(-\frac{rX}{Q_c}\right) \right] + S_{c0} \exp\left(-\frac{rX}{Q_c}\right)$$

$$+ \frac{a\Delta S_{c*} + b\Delta S_{f*}}{r} \frac{Q_c}{rX} \left[1 - \exp\left(-\frac{rX}{Q_c}\right) \right] \tag{3-28}$$

式中：$a = \alpha\omega B_c$；$b = M q_f \sin\varphi$；$c = \Delta Q / X$；$r = a + \mu b + c$；ΔS_* 为河段出口与进口的挟沙
力之差；ΔQ 为河段出口与进口的流量之差。

上式表明,洪水漫滩后由于滩地泥沙淤积,河槽恢复饱和输沙的速度加快,也就是说
河槽会比未漫滩情况更容易达到饱和输沙状态。

如果我们将某一河段进出口断面选择在节点上或滩地很少的狭窄处,进出口河道流
量均为 Q_0,进出口含沙量按上式计算,则可以得到这个河段的泥沙淤积率为

$$\Delta Q_s = Q_{s0} - Q_0 S_c = \left\{ 1 - \exp\left[-\frac{(a + \mu b)X}{Q_0} \right] \right\} \left[Q_{s0} - \frac{a(Q_{s0*} - Q_{s*})Q_0}{(a + \mu b)^2 X} \right]$$

$$- \left\{ 1 - \frac{Q_{s0*}}{Q_{s*}} \exp\left[-\frac{(a + \mu b)X}{Q_0} \right] \right\} \frac{a Q_{s*}}{a + \mu b} \tag{3-29}$$

与式(2-9)相比,洪水漫滩后泥沙淤积率公式(3-29)不仅取决于河段进口的输沙率和
河段输沙能力以及挟沙力的沿程变化($Q_{s0*} - Q_{s*}$)或 Q_{s0*} / Q_{s*} 等,而且还与洪水漫滩的
有关因素有关。由于洪水漫滩,$(a + \mu b) X / Q_0$ 增大、泥沙的沿程衰减加快,系数
$a / (a + \mu b)$ 使水流更容易得到饱和状态,泥沙淤积速率加快。

当该河段淤积率为 0 时,河段不冲不淤,也就是冲淤临界条件,即

$$\left\{ 1 - \exp\left[-\frac{(a + \mu b)X}{Q_0} \right] \right\} \left[Q_{s0} - \frac{a(Q_{s0*} - Q_{s*})Q_0}{(a + \mu b)^2 X} \right]$$

$$= \left\{ 1 - \frac{Q_{s0*}}{Q_{s*}} \exp\left[-\frac{(a + \mu b)X}{Q_0} \right] \right\} \frac{aQ_{s*}}{a + \mu b} \tag{3-30}$$

或者简化为以下的无量纲形式

$$\left\{ 1 - \exp\left[-\frac{(a + \mu b)X}{Q_0} \right] \right\} \left[\frac{a + \mu b}{a} \frac{Q_{s0}}{Q_{s*}} - \frac{Q_0}{(a + \mu b)X} \left(\frac{Q_{s0*}}{Q_{s*}} - 1 \right) \right]$$

$$= 1 - \frac{Q_{s0*}}{Q_{s*}} \exp\left[-\frac{(a + \mu b)X}{Q_0} \right] \tag{3-31}$$

将河段进口输沙率

$$Q_{s0} = Q_0 S_0 \tag{3-32}$$

及输沙能力关系式(2-14)代入式(3-31),即可得到漫滩洪水情况下河段的冲淤临界条件为

$$\frac{Q_0}{S_0^{\frac{1-\beta}{a-1}}} = \left(\frac{1}{fK} \right)^{\frac{1}{a-1}} \tag{3-33}$$

这就是冲淤临界流量的一般解。其中,系数 f 的表达式为

$$f = \frac{a}{a + \mu b} \left\{ \frac{Q_0}{(a + \mu b)X} \left(\frac{Q_{s0*}}{Q_{s*}} - 1 \right) + \frac{1 - \frac{Q_{s0*}}{Q_{s*}} \exp\left[-\frac{(a + \mu b)X}{Q_0} \right]}{1 - \exp\left[-\frac{(a + \mu b)X}{Q_0} \right]} \right\} \tag{3-34}$$

上式所计算的 f 值与式(2-18)相比,因为漫滩次数越多,泥沙淤积越严重, $a/(a + \mu b)$ 越小, f 值越小。这说明,洪水漫滩以后,冲淤临界流量将增大。

3.3 考虑水沙条件的参数选择

就一个洪水过程的冲淤而言,洪水平均流量和平均含沙量是影响泥沙冲淤的主要因素,但仅仅用洪水平均流量和平均含沙量来代表不同洪水的水沙特征显然是不够的。通过 1960～1999 年资料统计分析认为,就水沙条件而言,洪峰的变化幅度、洪水的沿程衰减程度及洪水持续时间也对洪水冲淤有相当的影响。

洪峰的变化幅度,拟用三黑小洪水的日均最大流量与平均流量之比来代表;洪水流量的沿程变化情况,用河段出口流量与进口流量之比来考虑。

从水流运动而言,洪水都是非恒定的,不同场次洪水的变化幅度是不同的。从泥沙运动理论来讲,水流输沙率常常与水流流量的一次方以上或高次方成比例。同一场洪水水量相同时,洪水的变化幅度可能不同。流量变化幅度越大,那么洪水输送泥沙的能力也越大。因此,应当在水沙条件中反映这种变化。此处拟用洪水最大流量与平均流量之比来代表这种洪水变化。

洪水的沿程变化程度是洪水传播的另外一个重要特征。同样平均流量,平均含沙量,以及最大流量与平均流量之比的两场洪水,其沿程衰减程度不同时对河床的影响也是不同的。经过分析实测资料,拟用河段出口流量与进口流量之比来反映这种变化。图 3-3 为三利段(三指三门峡,利指利津。下同)排沙比与流量沿程衰减系数 $Q_{利}/Q_{三}$ 的关系,虽然衰减系数并非影响排沙比的主要因素,但是二者还是有一定的相关关系。

洪水历时是洪水的另外一个重要特征。同样平均流量、平均含沙量的两场洪水,其历

时不同时对河床的影响也是不同的。洪水持续的时间越长,其对河床的冲刷作用也越大;冲刷外移的沙量会越多,冲刷效率越大或淤积效率越小。冲淤效率定义为单位水量所能冲刷或淤积的泥沙数量,此处以 t/m³ 计。

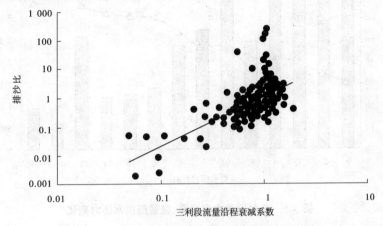

图 3-3　三利段洪水排沙比与流量衰减系数的关系

利用 40 年洪水资料按洪水持续天数的不同进行了统计,并绘制三利段冲淤效率与洪水持续时间 T 的关系如图 3-4 所示,二者有较好的相关关系,相关系数为 0.96,表达式为

$$\frac{\Delta Q_s}{Q} = 0.1 - 0.042\ln T \tag{3-35}$$

式中: $\frac{\Delta Q_s}{Q}$ 为冲淤效率,t/m³; T 为洪水历时,d。

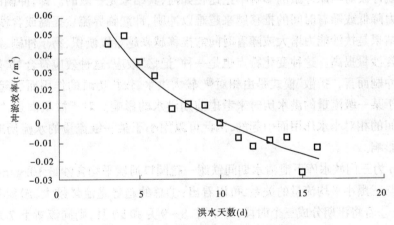

图 3-4　三利段洪水冲淤效率与洪水历时的关系

另外,洪水历时的长短实际上还隐含着洪水过程所挟带沙量的多寡。持续时间短的洪水往往来源于多泥沙、洪水陡涨急落的区域,而持续时间长的洪水则往往来源于少沙、洪水涨落相对平缓的区域。从图 3-5 可以看出,洪水历时 3～6d 的平均含沙量约 70 kg/m³,洪水历时 7～10d 的平均含沙量约 50kg/m³,洪水历时 11d 以上的平均含沙量约 25kg/m³。这说明随着洪水持续时间的延长,含沙量总的是越来越小,也是使排沙比增大的一个重要原因。

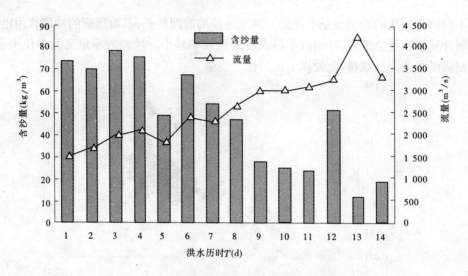

图 3-5　三利段洪水含沙量、流量随洪水历时变化

3.4　考虑前期河床边界条件的参数选择

前期河道冲淤变化对河床边界影响的表现形式有三种:一是改变床沙粗细,二是改变断面形态,三是改变纵剖面形态。如冲刷使床沙粗化、断面窄深、阻力增大、挟沙能力降低,平滩流量加大;淤积使床沙细化、断面宽浅、阻力减弱、挟沙能力提高,平滩流量降低。前期冲淤对河床冲淤的影响途径有两个:一是通过对阻力的影响,二是通过对挟沙能力的影响。前期冲淤对河床冲淤的影响不论途径如何,其结果是一致的。即,冲刷的最终结果是挟沙能力降低或随着时间的推移越来越难以冲刷、冲淤临界流量提高或含沙量降低,淤积的最终结果是挟沙能力增大或随着时间的推移越来越难以淤积、易于冲刷、冲淤临界流量降低或含沙量提高。这种变化特点也是一种"记忆"效应,这种效应符合"扩散"模式❶。

对于冲刷而言,"扩散"模式是由相对❷较大洪水、较长历时的作用而引起的,因此也可以用大于某一级流量的洪水历时来考虑前期洪水的影响。对于淤积而言,"扩散"模式是由长时间的相对小水作用而引起的,因此可以用小于某一级流量的水流历时来考虑前期小水的影响。

图 3-6 为三门峡水库下泄清水期间铁谢—花园口河段平均含沙量 10kg/m³ 以下的洪水淤积率与三黑小平均流量的关系,可以看出:①总的趋势是流量越大,淤积率越小或冲刷率越大;②若将汛期分成三个时段,即 7 月、8～9 月和 10 月,则同流量下 7 月份的冲刷率较大,10 月份的冲刷率较小,8～9 月的冲刷率介于二者之间。这一现象说明,前期冲刷对后期冲刷的影响是肯定的,即冲刷一开始数量较大,随着冲刷时间的延长,冲刷的数量会越来越小。

其他河段也是如此。图 3-7 绘制了同一系列资料三门峡水库下泄清水期间高村—艾

---

❶　这里所谓"扩散"模式是指由于水沙变化而引起的河床冲淤变形符合扩散方程或扩散模式。
❷　所谓相对是指相对于含沙量而言,即相对大水冲刷、相对小水淤积(或相对清水冲刷、相对浑水淤积),详细可参阅梁志勇等在 2003 年第 10 期《人民黄河》期刊上发表的文章《渭河和黄河下游冲淤特性》。

山河段淤积率与三黑小平均流量的关系,可以看出,总的趋势仍然是进口流量越大,河段的冲刷率越大。与铁谢—花园口河段相比,7月初冲刷还未发展到高村以下河段,高村—艾山河段开始处于淤积状态,然后才开始冲刷的。但之后冲刷的发展却依然与铁谢—花园口河段十分相似,也是越来越难以冲刷。

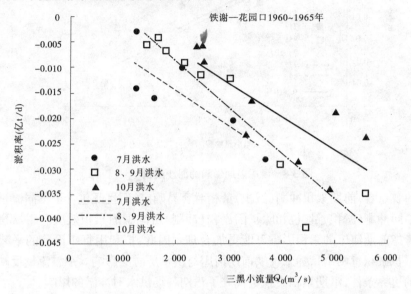

图 3-6 前期冲刷的影响使不同月份的洪水作用不同(含沙量 10kg/m³ 以下)

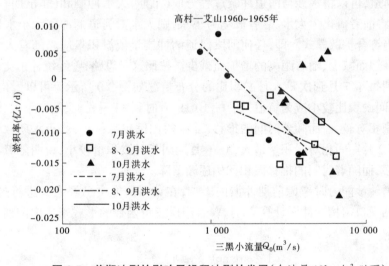

图 3-7 前期冲刷的影响及沿程冲刷的发展(含沙量 10kg/m³ 以下)

在淤积情况下,也存在有前期影响。图3-8为1965年汛期各个月份洪水的淤积率与三黑小平均流量的关系,可以看出:①总的趋势是流量越大,淤积率越小或冲刷率越大;②若将汛期分成三个时段,即7月、8月和9～10月,则7月份冲刷后,8月份开始淤积,9～10月同流量下淤积率降低。这一现象说明,前期淤积对后期淤积也是有影响的,与前期冲刷的影响相反,淤积一开始数量较大,随着淤积时间的延长,淤积的数量也会越来越小。

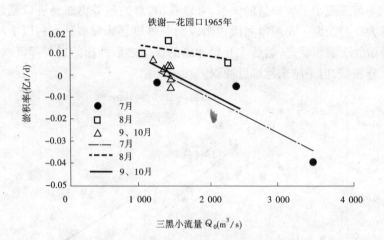

图 3-8　考虑前期影响的泥沙淤积

从实用的观点看,前期累积冲刷(淤积)量相对容易确定,而且既包含了不同流量级洪水所造成的不同冲刷(淤积)量,也扣除了因淤积(冲刷)所减少的累积效应。用累积冲刷(淤积)量来考虑前期河床的累积影响可能更加合理。因此,拟利用每年汛前的平滩流量和每年汛期累积淤积量两个指标来反映前期河床与洪水历时的影响。平滩流量反映了每年汛前河道的边界条件,汛期累积淤积量代表了汛期各场洪水对冲淤的影响。

从理论上来讲,前期冲刷和淤积的影响可以用扩散模式进行说明(梁志勇等,1995)。对于艾山以下河道,可以将水沙与河道冲淤过程分成(汛期)大水冲刷和(非汛期)小水淤积两个部分,若将前者概化为大水、后者概化为小水,则大水对河道的冲刷和小水造成的河道淤积都应当符合扩散模式。即,任何河段河道的冲刷量或淤积量应当随着大水或小水作用时间的增加而减少、随着距离的增加而减少。按照这一思路,曾经统计了艾山—利津河段不同时期每年 7 月到次年 6 月淤积比的分布情况如图 3-9 所示。可以看出,①大水的 7~8 月期间淤积比较小或为负值,到 9~10 月(有时到 11 月份)又逐渐增大,说明大水开始期间冲刷相对较大,而随着时间的推移,冲刷的比例越来越小;②小水期六个月的淤积一般在 1~2 月期间相对淤积量最大,3~6 月期间相对淤积量较小,说明随着小水期开始时淤积较多,而随着时间的推移淤积比例逐渐下降。

在计算河道输沙能力时考虑前期冲淤的影响,在黄河研究中已经有人进行过尝试。我们在进行黄河河口河槽的冲淤计算[1] 时,曾经用反三角函数的形式来考虑前期冲淤影响

$$1 - \arctan\left(\sum \Delta h\right) \tag{3-36}$$

式中:Δh 为河槽冲淤厚度;$\sum$代表对河槽冲淤厚度求和。

在同一时期的黄河下游河道冲淤数学模型(刘月兰等,1987)中,也采用了相似的方法考虑前期冲淤的影响,即在输沙能力计算公式(2-14)中引入前期累积冲淤量,具体形式为

$$Q_{s*} = KQ^a S_0^\beta \exp\left(-\sum \Delta W\right) \tag{3-37}$$

---

[1]　尹学良等,1986 年,稳定黄河口清水沟流路 40~50 年的研究,中国水利水电科学研究院。

式中：ΔW 为河槽冲淤量；$\sum$ 代表对河槽冲淤量的求和。

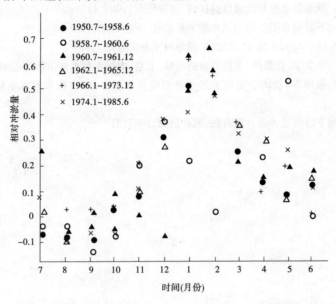

图 3-9 艾山以下河道不同年代大水冲刷、小水淤积衰减图形

实际上前期影响的"记忆"效应可以用一条衰减的曲线来描述,如图 3-10 中的实线所示。由此可见,前期影响用指数曲线来描述是合适的。

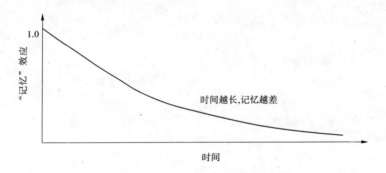

图 3-10 考虑前期影响的扩散模式

如果用输沙能力公式(3-37)替代式(2-14),则冲淤临界条件式(3-33)可以改写为

$$\frac{Q_0}{S_0^{\frac{1-\beta}{\alpha-1}}} = \left[\frac{1}{(fK\exp(\sum \Delta W)} \right]^{\frac{1}{\alpha-1}} \tag{3-38}$$

从上式可以看出,考虑了前期冲淤的影响后,冲淤临界流量会增大,即有了前期影响后,冲刷或淤积会更加困难。

参 考 文 献

[1] 韩其为.悬移质不平衡输沙的研究.见:第一次国际泥沙学术讨论会论文集(第二卷).北京:光华出版社,1980

[2] 韩其为,等.水库淤积与河床演变—维数学模型.泥沙研究,1987(3)

[3] 梁志勇,尹学良.漫滩洪水悬移质输移的探讨.泥沙研究,1989(4)

[4] 梁志勇,等.黄河下游引水引沙与河道冲淤关系研究.泥沙研究,1995(3)

[5] 梁志勇,等.引水防沙与河床演变.北京:中国建材工业出版社,2000

[6] 梁志勇,姚文广,李文学,张翠萍.多沙河流的河性.北京:中国水利水电出版社,2003

[7] 梁志勇,刘继祥,张厚军.黄河下游河道洪水冲淤临界水沙条件.中国水利水电科学研究院学报,2004(2)

[8] 刘月兰,等.黄河下游河道冲淤计算方法.泥沙研究,1987(3)

第四章　从非恒定水流理论推求洪水冲刷深度

一场洪水河床的最大冲刷深度是许多傍河、跨河、沿河工程设计应用中常常需要的重要数据,而在实际应用中一般挟沙河流的计算公式往往又不适用于多沙河流。例如1999年7月14日北洛河发生大洪水,河床发生较大冲刷,使靖边至西安的天然气管线在陕西省富县北洛河穿越处发生断裂,造成经济损失数十万元,影响很大(秦毅等,2001)。该事故的主要原因之一就是原设计的埋深不够,没有考虑多沙河流高含沙水流的影响。

4.1　洪水特性

从黄河研究的实践来看,泥沙的冲淤与洪水过程关系很大。所谓"大水冲刷、小水淤积","涨水冲刷、落水淤积"等都是这一关系的体现。本章将研究泥沙冲淤与洪水非恒定性的关系。

洪水过程一般具有如下特点。

(1)洪水是典型的非恒定流,像渭河下游、黄河下游这样的多沙河流也不例外。非恒定流可以采用圣维南方程组描述,有多种数值解法来求解。常用的有:特征线法、隐式法和显式法。

(2)洪水波是洪水的一个重要现象,天然河道洪水波的涨落通常比较缓慢。因此,洪水波可以看做变化缓慢的水流。当坡度较陡时,佛氏数较大,洪水波可以近似为运动波(图4-1),其有如下特点:①水位与流量为单值关系;②在传播过程中洪水波无衰减(图4-2)。

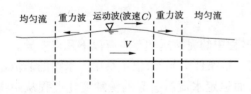

图4-1　佛氏数较大时($Fr < 1.5$)的洪水波

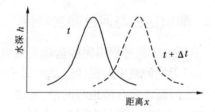

图4-2　无衰减的运动波

当坡度很缓时,佛氏数则远小于1,洪水波主要是扩散波,其特点是:①水位与流量非单值关系,例如渭河的水位与流量关系图4-3;②在传播过程中有衰减(图4-4)。

(3)波速的计算。在宽深比较大、底坡较小且变化不大的天然河流中,假设洪水波到来之前水流为均匀流,水深为h_2,流速为V_2,流量为Q_2,洪水涨水之后,水流又成为均匀流,水深为h_1,流速为V_1,流量为Q_1,如图4-5所示。

涨水波的波速可以从水力学知识得到

$$C = \frac{\mathrm{d}Q}{\mathrm{d}A} \tag{4-1}$$

对于天然紊动水流可以利用谢才公式计算流速时,还可得到波速

$$C = \frac{3}{2}V \tag{4-2}$$

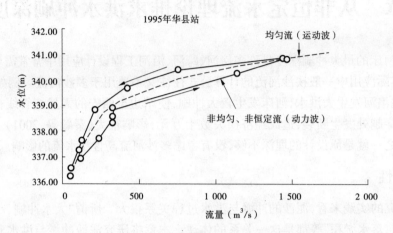

图 4-3　扩散波对水位与流量关系的可能影响

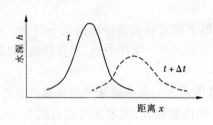

图 4-4　有衰减的运动波

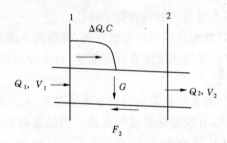

图 4-5　水流涨水冲刷分析示意图

4.2　非恒定性与河道冲淤特性

非恒定水流过程中泥沙运动与恒定水流过程中的泥沙运动至少有以下几点差异。

(1)天然河流中的泥沙运动多属于非恒定水沙条件引起的,也正是由于水沙的非恒定性,天然河流才会有滩地与河槽、嫩滩与主槽;而恒定水流所引起的输沙变化过程从距离和时间上来讲,可能是有限的。

(2)天然水流的非恒定性不仅造就了天然河流存在横向差别的横断面形态,而且也影响了泥沙的沿程输移和河床冲淤过程。如黄河干支流河道所出现的"大水河槽冲刷、小水河槽淤积","涨水河槽冲刷、落水河槽淤积"等现象。

以往研究表明,"大水河槽冲刷、小水河槽淤积","涨水河槽冲刷、落水河槽淤积"的现象不仅存在于黄河干流的中游、下游,而且也存在于黄河的一些支流(尹学良,1992;齐璞、赵文林等,1993;李春荣,1994;杨丽丰等,1995;刘继祥,1995;赵业安等,1997;席占平等,1999;Wang and Liang,2000)。研究表明,以上所述的大小水河槽冲淤变化特点将有一定限制条件,详细讨论见本书第七章。一次大水过程中,河槽通常是涨水冲刷、落水淤积,而且冲刷幅度大于淤积幅度。

表 4-1 统计了黄河干支流低含沙与高含沙洪水主槽冲刷量及其水沙情况,表中资料

数据主要来源于有关文献(齐璞等,1993;钱意颖等,1993)和有关水文年鉴,包括黄河小北干流、黄河下游河南与山东河段、黄河一级支流渭河和二级支流北洛河。由表可见,高含沙洪水与低含沙洪水相比,冲刷深度明显加大。实际上,来水来沙以及边界条件情况的差异是造成冲刷深度不同的重要原因,从表4-1也可以清楚地看出,冲刷深度随洪峰流量的增大明显增加。

表 4-1　黄河干支流洪水主槽冲刷资料统计(梁志勇等,2001)

河流	冲刷深度 (m)	最大流量 (m³/s)	最大含沙量 (kg/m³)	冲刷河宽 (m)	传播速度 (m/s)	坡降
黄河小北干流	3.1	10 200	695	280	3.3	0.000 4
黄河小北干流	7.4	7 460	933	280	3.3	0.000 4
黄河小北干流	1.8	8 860	752	280	3.3	0.000 4
黄河小北干流	8.8	13 800	826	280	3.3	0.000 4
黄河小北干流	4.0	14 500	690	280	2.8	0.000 4
黄河小北干流	2.0	12 700	821	280	3.3	0.000 35
黄河小北干流	2.6	5 530	542	280	3.3	0.000 4
黄河小北干流	3.1	8 050	610	280	3.3	0.000 4
黄河小北干流	1.8	5 000	750	280	3.3	0.000 4
黄河小北干流	8.8	13 800	825	280	3.3	0.000 4
黄河小北干流	4.8	12 200	690	280	2.8	0.000 4
黄河下游河南河段	1.3	7 900	589	450	1.7	0.000 2
黄河下游河南河段	1.1	10 000	750	450	2.3	0.000 2
黄河下游河南河段	0.47	4 470	338	450	2.0	0.000 15
黄河下游山东河段	0.2	7 020	100	400	2.5	0.000 1
黄河下游山东河段	0.4	9 180	100	400	2.5	0.000 1
黄河下游山东河段	0.8	7 300	100	400	2.5	0.000 1
黄河下游山东河段	0.6	5 920	100	400	2.5	0.000 1
黄河下游山东河段	0.5	7 000	100	400	2.5	0.000 1
黄河下游山东河段	0.4	6 160	100	400	2.5	0.000 1
黄河下游山东河段	0.6	7 800	100	400	2.5	0.000 1
黄河下游山东河段	0.2	5 960	100	400	2.5	0.000 1
黄河下游山东河段	0.5	5 680	100	400	2.5	0.000 1
黄河下游山东河段	0.3	6 400	100	400	2.5	0.000 1
黄河下游山东河段	0.2	6 470	100	400	2.5	0.000 1
黄河下游山东河段	1.0	8 020	100	400	2.5	0.000 1
黄河下游山东河段	0.4	5 670	100	400	2.5	0.000 1
黄河下游山东河段	0.4	5 740	100	400	2.5	0.000 1

河流	冲刷深度 (m)	最大流量 (m³/s)	最大含沙量 (kg/m³)	冲刷河宽 (m)	传播速度 (m/s)	坡降
黄河下游山东河段	0.4	6 300	100	400	2.5	0.000 1
黄河下游山东河段	0.21	5 970	117	400	2.5	0.000 1
黄河下游山东河段	0.09	3 880	246	400	2.5	0.000 1
黄河下游山东河段	0.2	4 600	243	400	2.5	0.000 1
渭河	2.5	5 550	690	280	2.7	0.000 15
渭河	0.5	6 256	680	280	2.4	0.000 15
渭河	0.4	3 970	670	280	2.7	0.000 15
渭河	0.5	3 120	600	280	2.7	0.000 15
渭河	0.32	2 930	800	280	2.7	0.000 15
北洛河	1.31	2 190	725	80	2.7	0.000 17
北洛河	1.13	1 100	885	80	2.7	0.000 17
北洛河	3.16	3 070	850	80	2.7	0.000 17
北洛河	0.51	1 290	880	80	2.7	0.000 17
北洛河	1.63	765	860	80	2.7	0.000 17
北洛河	0.64	800	1 010	80	2.7	0.000 17

洪水冲刷河床一般经历以下过程:①河床泥沙首先被冲刷。从冲刷的角度讲,水流作用于河床的剪应力应该足以克服河床泥沙的起动剪应力;②被冲起的泥沙能被水流挟带,符合非平衡输沙理论。如果认为水沙关系符合

$$Q_s = KQ^m \tag{4-3}$$

则洪水应该有足够大的流量来挟带冲刷起的具有一定组成的泥沙。

4.3 非恒定洪水冲刷能力的分析

洪水水沙过程的非恒定性是造成河床冲淤变化的直接动力,为便于分析,不妨假设洪水来临之前河床基本处于冲淤平衡状态,涨水洪峰通过河床时,波峰所到之处增加了对河床的作用力,当该作用力大于床面泥沙的起动条件时,泥沙被冲刷,显然河槽的冲刷率应与作用于河床上作用力的增加量有关。根据动量原理,可以列出未涨水以前 1、2 两个断面间(如图 4-5 所示,其中 G 代表水流所受的重力)水体沿水流方向的动量方程为

$$\rho_m (Q_2 V_2 - Q_1 V_1) \Delta t = [\rho_m g (Q_2 + Q_1) \Delta t J / 2 - F_1] \Delta t \tag{4-4}$$

涨水波到达 1 断面以后,1、2 两个断面间水体沿水流方向的动量方程为

$$\rho_m (Q_2 V_2 - Q_1 V_1 - \Delta Q C) \Delta t = [\rho_m g (Q_2 + Q_1) \Delta t J / 2 + \rho_m g \Delta t J - F_2] \Delta t \tag{4-5}$$

式中:ρ_m 为浑水密度;Q 为水流流量;ΔQ 为不包括 Q 在内的洪峰流量;V 为水流流速;C 为洪水波的传播速度;Δt 为作用时间;下角标 1 和 2 分别代表 1、2 断面;F_1、F_2 分别为涨水前后河床对水流的作用力。

若略去两阶微量,则从式(4-4)和式(4-5)可以导出涨水后水流对河床增加的作用力为

$$\Delta F = F_2 - F_1 = \rho_m C \Delta Q \tag{4-6}$$

这样因洪水上涨而增加的水流功率

$$W_u = \rho_m C \frac{dQ}{Bdt} = \rho_m C \frac{dq}{dt} \tag{4-7}$$

式中:B 为该河段的河槽平均宽度;Q 为流量;q 为按河槽宽度平均的单宽流量;t 为时间。

这样,仿照对恒定流冲刷率的定义与研究(王兆印等,1998a、1998b),,则非恒定流涨水引起的河床冲刷率可以写成

$$\frac{\rho_s(1-p)dD}{dt} = K_1 \left[\rho_m C \frac{dq}{dt} - 0.1\rho_m \left(\frac{\rho_s - \rho_m}{\rho_m} gd \right)^{1.5} \right] \tag{4-8}$$

式中:p 为床沙的孔隙率;dD 为时间 dt 内的冲刷厚度;K_1 为系数;下角标 0 代表恒定流状态的要素;g 为重力加速度;q_0 为恒定流单宽流量;J_0 为相应的能坡;d 为床沙代表粒径。

河床冲刷率为水流单位时间内从单位面积河床上冲刷带走的泥沙重量。冲刷率除与水流功率和泥沙起动功率之差成比例外,还受到坡降 J、泥沙粒径等因素的影响,这样引入代表粒径(Wang, 1999),并替换为浑水的代表粒径

$$d_* = \left(\frac{v_m^2 d}{g} \right)^{1/4} \tag{4-9}$$

可将式(4-8)无量纲化为

$$\frac{\dfrac{\rho_s(1-p)dD}{dt}}{\dfrac{\rho_m v_m}{d_*}} = K_2 \frac{\rho_m}{\rho_s - \rho_m} \frac{\rho_m C \dfrac{dq}{dt} - 0.1\rho_m \left(\dfrac{\rho_s - \rho_m}{\rho_m} gd \right)^{1.5}}{\rho_m g v_m} J_0^n \tag{4-10}$$

式中:ρ_m 和 ρ_s 为浑水和泥沙的密度;K_2 为系数;J_0 为涨水前比降;d 为床沙粒径;v_m 为浑水的运动黏性系数。

上式表明,非恒定流涨水引起的河床冲刷率等于第一项涨水波引起的水流功率减去第二项泥沙起动的功率。实际上,当河床淤积物较多时,泥沙组成通常较细,泥沙起动后极易进入悬浮状态,所以可以不考虑泥沙的起动功率问题。因而从实用的角度出发,可以采用下式计算非恒定流引起的冲刷率

$$\frac{\rho_s(1-p)dD}{dt} = K_2 \frac{\rho_m}{\rho_s - \rho_m} \frac{\rho_m C \dfrac{dq}{dt}}{gd_*} J_0^n \tag{4-11}$$

或者直接用下式计算一场洪水的冲刷量

$$\Delta D_f = K_2 \frac{\rho_m^2}{\rho_s(\rho_s - \rho_m)(1-p)} \frac{C\Delta q}{gd_*} J_0^n \qquad (4\text{-}12)$$

式中：ΔD_f 为冲刷厚度；Δq 为洪水上涨流量（$Q_m - Q_0$）与水槽宽度之比。

上式表明，涨水期或一场洪水河槽冲刷厚度主要与浑水密度、洪水波传播速度、单宽流量上涨量、河段坡降、床沙粒径等有关。

4.4 资料验证与分析

考虑到在一些方面缺乏详细的天然资料，此处用一场洪水河槽的冲刷深度按照式(4-12)与水沙因子建立关系。

利用黄河干支流的资料对式(4-12)进行了相关统计，资料如表 4-1 所示。这些冲刷资料既有低含沙水流的，也有高含沙水流的，还包括一些所谓的"揭河底"的资料。如遇统计因素不全的情况时，用多年或月的平均值代替，统计结果如图 4-6 所示。公式中泥沙密度取 2 650kg/m³，清水的运动黏性系数取 1.03×10^{-6} m²/s，由于浑水的许多资料未知，浑水的黏性系数暂按下式计算(钱意颖等，1980)

$$\nu_m = \nu \exp(5.06 S_V) \qquad (4\text{-}13)$$

式中：S_V 为体积比含沙量。

统计结果表明，二者相关系数为 0.86，一场洪水河槽的冲刷深度公式可以写成

$$\Delta D_f = 0.020\ 4 \frac{\rho_m^2}{\rho_s(\rho_s - \rho_m)(1-p)} \frac{Cq_{\max}}{gd_*} J_0^{0.8} \qquad (4\text{-}14)$$

式中：ΔD_f 为一场洪水的冲刷深度；$q_{\max}$ 代表洪峰流量与河槽宽度之比。

利用黄河资料得到涨水冲刷深度(相当于一场洪水的最大冲刷深度)是一场洪水冲刷深度(包括涨水冲刷和落水淤积两部分之和)的 3.6 倍(梁志勇等，1999)。这样，洪水的最大冲刷深度为

$$\Delta D_{\max} = 0.073\ 4 \frac{\rho_m^2}{\rho_s(\rho_s - \rho_m)(1-p)} \frac{Cq_{\max}}{gd_*} J_0^{0.8} \qquad (4\text{-}15)$$

式中：$\Delta D_{\max}$ 为一场洪水的最大冲刷深度。

在河床纵比降等变化不大时，上式可以简化为

$$\Delta D_{\max} = \frac{1}{50} \rho_m C q_{\max} \qquad (4\text{-}16)$$

图 4-6 中的点子比较分散，究其原因可能有以下几条：①冲刷深度不是涨水期的，而是一场洪水的；②天然冲积河流一般有滩地与河槽之分，洪水常常漫滩；而对河槽冲淤变化起作用的只有流经河槽的那部分水流。本书限于资料，所用数据均为全断面的；③公式本身只考虑了非恒定水流引起的冲刷，所用资料并未扣除恒定流的影响。

4.5 公式的讨论

式(4-14)~式(4-16)考虑因素简单，计算方便。式(4-14)为一场洪水的冲刷深度，式(4-15)和式(4-16)为涨水冲刷深度或一场洪水的最大冲刷深度。在建立上述关系时，既采用了含沙量较低的资料，也利用了所能够收集到的高含沙量洪水资料，所以该关系同

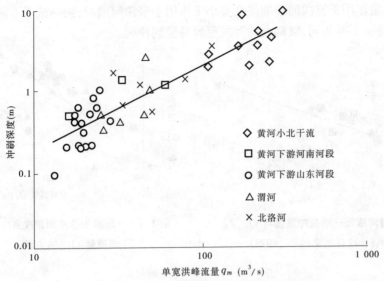

图4-6 一场洪水冲刷深度公式率定

时适用于该地区的低含沙与高含沙非恒定水流,可以用来估算洪水对黄河干支流河床的冲刷情况。由于没有足够的资料,上述公式实际上是考虑了洪水涨水冲刷与落水淤积的共同效应之后的产物,而不仅仅是冲刷问题。

4.5.1 冲刷厚度与水流功率、洪峰流量的简化关系

对于特定的某一河段,当泥沙粗细、洪水传播速度等变化不大时,式(4-12)可以简化成为

$$\Delta D = K_3 (\rho_m q_{max} J)^{n_1} \tag{4-17}$$

式中:K_3 为系数;n_1 为指数。

前人曾经点绘了 1950~1971 年渭河咸阳到华县河段冲刷量和本河段前期比降 $J_{前}$ 与张家山站最大日平均流量 Q_{max} 之积的关系(图4-7),正好说明了这一关系的存在。即本河段前期比降 $J_{前}$ 与张家山站最大日平均流量 Q_{max} 之积越大,河段的冲刷量也越大。

当河床坡降、河宽也变化不大时,式(4-17)还可进一步简化为

$$\Delta D = K_4 Q_{max}^{n_2} \tag{4-18}$$

式中:K_4 为系数;n_2 为指数;Q_{max} 为洪峰流量。

图4-8为临潼站和华县站河床冲刷幅度 ΔD 与洪峰流量 Q_{max} 的关系(梁志勇,2001),两个关系的系数 K_4 分别为 2×10^{-4} 和 5×10^{-4},指数 n_2 分别为 1 和 0.9,ΔD 单位为 m,Q_{max} 单位为 m^3/s。

这说明河床的冲刷深度与洪峰流量有关,并随河段不同而有所差别。利用黄河干支流的资料可以清楚地看出,冲刷深度与洪水最大流量的关系明显地随河流河段不同而有一定差异(如图4-9所示)。

从图4-9可以清楚地看出,如果以各个河段的资料点子为基准作不同直线关系的话,黄河下游河段、小北干流、渭河与北洛河的点子从右向左依次排列,并非一个统一的关系线,而是一组基本平行的线段。这是因为同一流量在不同河流对河床的作用范围是不同

的,同一洪峰流量作用于宽浅河槽的强度要小于作用于窄深河槽的;同一流量下河床不同河流的边界条件也不尽相同,坡降大的河段更容易受到冲刷。

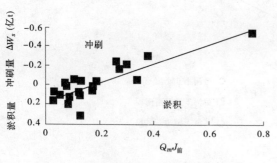

图4-7　渭河咸阳—华县冲淤量与 $Q_{\max}J_{前}$ 的关系(修改自赵文林等,1978)

图4-8　一场洪水总冲刷深度 ΔD_f 与洪峰流量 $Q_{\max}$ 的关系

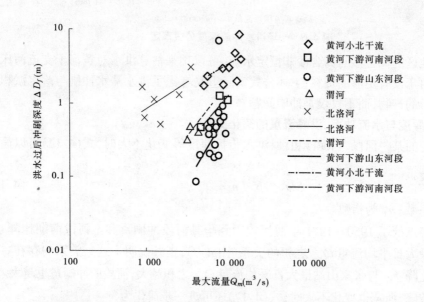

图4-9　一场洪水总冲刷深度与最大流量的关系

4.5.2　冲刷率与流量上涨率的关系

对于低含沙洪水,当洪水传播速度变化不大时,河槽冲刷率 dA/dt 主要取决于流量在单位时间里的上涨幅度,即

$$\frac{dA}{dt} \propto \frac{dQ}{dt} \tag{4-19}$$

黄河下游涨水时断面面积的冲刷率 dA/dt 确实与流量的上涨率 dQ/dt 有关,其经验关系(庄一邬、林三益,1986)为

$$\frac{dA}{dt} = 0.14\frac{dQ}{dt} \tag{4-20}$$

4.5.3　含沙浓度的影响

对于高含沙洪水,水流动量更大,因为其容重比水为大,浓度越高,容重越大。其容重

$$\rho_m = \rho(1 - S_v) + \rho_s S_v \qquad (4\text{-}21)$$

比如当含沙量为 530kg/m³ 时,体积比含沙量 $S_v = 0.2$,$\rho_m = 0.8\rho + 0.2\rho_s = 1\,330$,这样式 (4-14)中的 $\dfrac{\rho_m^2}{\rho_s(\rho_s - \rho_m)}$ 为 0.506,是清水 $\dfrac{\rho^2}{\rho_s(\rho_s - \rho)}$ 值 0.229 的 2.21 倍。这时,浑水密度对冲刷深度的影响是清水的 2.21 倍。

黄河干支流洪水受含沙量的影响表现出对河道的冲刷作用有显著不同,特别是高含沙洪水对河道的冲刷作用。如支流渭河咸阳以下河道受高含沙洪水影响很大,中等及其以上洪水对河道有明显的涨水冲刷作用。再如小北干流上高含沙洪水的"揭河底"现象,其冲刷深度是低含沙洪水较难达到的。

4.6 公式的应用

1999 年 7 月 14 日北洛河发生大洪水,河床发生较大冲刷,使靖边至西安的天然气管线在陕西省富县北洛河穿越处发生断裂。秦毅等曾经利用本章所述的计算洪水最大冲刷深度的方法进行了复核计算(2001),认为该方法计算结果合理,适用于多沙河流的冲刷计算。

4.6.1 流域水沙特性简述

北洛河是渭河的一级支流,地处侵蚀程度较大的黄土高原,是一条典型的多沙河流。根据距离富县最近的北洛河干流交口河水文站流量观测记录,1999 年 7 月 14 日的洪水是历史上排行第三的大水,最大洪峰流量 2 250m³/s,最大含沙量 954kg/m³,与以往几次大水不同的是最大含沙量与最大洪峰同时出现。表 4-2 列出了本次大水与历史上几次大水的洪水特点,其中 t_s 和 t_Q 分别表示某次洪水中含沙量 S 大于 500kg/m³ 的洪水历时和流量大于 1 000m³/s 的洪水历时,Q_{80} 表示涨水段上的某个流量,其值为 80% 的洪峰流量,t_{80} 是 Q_{80} 的出现历时,洪号的前两位为年份,中间一位为月份,后两位为日期。

表 4-2 交口河洪水特性比较

洪号	最大洪峰流量 Q_m(m³/s)	峰现历时 t_p(h)	Q_m/t_p	Q_{80}(m³/s)	t_{80}(h)	Q_{80}/t_{80}	最大含沙量 (kg/m³)	位置	t_s(h)	t_Q(h)	实测次洪水断面最低点冲刷深(m)
54829	980	1.5	653	806	0.8	1 008	824	峰后	7.5	0.5	0.1
77706	3 400	11.5	296	2 720	10.85	251	1 090	峰前	37	10.5	1.36
77805	1 300	3.5	371.4	1 040	3.3	315	990	峰后	96	1	0.41
99714	2 250	2.2	1 023	1 810	1.2	1 508	950	同峰	48	6	1.4

4.6.2 最大冲深复核计算(秦毅等,2001)

高含沙水流的特征之一就是浑水的密度比一般挟沙水流大得多,以 1999 年 7 月 14 日洪水为例,洪峰期间的最大含沙量 954kg/m³,900kg/m³ 以上的含沙量历时 3h,以 900 kg/m³ 计,这 3h 的浑水密度按式(4-21)计算为 1 000 + 0.622S = 1 560kg/m³。它是清水密度的 1.56 倍,而事故管道的配重则是按 1.2 倍的清水密度设计的,所以一旦管道暴露在水中,就立刻受到相当大的上举力,加之非恒定水流冲击力的影响,造成管道疲劳裂断,这也是断管上翘像一对"牛角"的原因。

利用梁志勇等人根据动量守恒原理建立的高含沙洪水冲刷的计算公式(4-16)以及最大冲刷深度(涨水冲刷)与一场洪水总冲刷深度的关系,可以求得该场洪水的总冲刷深度为 1.8m,最大冲刷深度为 6.48m。

按照河床冲深到流速降低到泥沙起动流速时不再发生冲刷变形的原理来计算,则最大可能冲深为 5.22m。

根据事故地点地形地物的现场判断,事故地点的涨水冲刷深度应大于 5m,而事故管道的设计埋深实际只有 4m,所以管道一旦被冲出,断裂就不可避免了。

4.6.3 小结

从以上分析看到,管道断裂事故的主要原因是对高含沙水流的强烈冲刷性质认识不足,因此在管线穿越位置的选择上和有关设计上未能给予充分的考虑。

设计埋深是一个涉及天然河道的一般冲刷问题,相对局部冲刷研究的成果较少。长输管道的穿跨越设计规范中,对河道的冲刷计算是沿用 20 世纪 60 年代初期铁道部门研究提出的"64-1"公式。该公式是针对铁路桥梁设计情况提出的,对管道跨越一般河流时计算冲刷深度较为适用,该公式用于普通挟沙水流的冲深计算其成果也相对可信,并在一般性河流的穿越设计中作为重要的依据性参数。但"64-1"公式的基本出发点与这里所提到的河道一般冲刷存在区别。据我们在有关穿河管道工程中对该公式的实际运用证明,除公式中的参数调整具有一定任意性外,在高含沙水流条件下,由于公式不能反映高含沙水流特点,过多强调水深的作用,使得计算冲刷深度偏小,极不利于穿河管道的安全。王兆印等于 1998 年研究了天然河流洪水河床冲刷率并用冲刷率公式估算洪水冲刷深度,为天然河流冲刷计算打下了良好基础。翌年,梁志勇等(1999)也提出了高含沙洪水冲刷的计算方法,使得天然河流的冲刷计算更具有针对性。

需要指出的是,根据室内试验成果(梁志勇,2001),一场洪水的最大冲深与总冲深之间的倍数关系是 3.28 左右,小于 3.6。

参 考 文 献

[1] 胡一三.中国江河防洪丛书(黄河卷).北京:中国水利水电出版社,1996

[2] 焦恩泽,等.高含沙量洪水与揭底冲刷.见:第四届全国泥沙基本理论研究学术讨论会论文集.成都:四川大学出版社,2000

[3] 李春荣.黄河小北干流泥沙运动若干特殊现象.泥沙研究,1994(3)

[4] 梁志勇,等.试论黄河下游断面形态与水沙输移关系.见:水科学青年学术论文集.北京:水利电力出版社,1990

[5] 梁志勇,等.黄河下游断面形态与水沙输移关系及数学模拟方法.地理研究,1993(2)

[6] 梁志勇,等.水沙条件对黄河下游河床演变影响的分析途径兼论水沙与断面形态关系.水利水运科学研究,1994(1~2)

[7] 梁志勇,等.高含沙洪水冲刷规律的探讨.泥沙研究,1999(6)

[8] 梁志勇,等.黄河干支流洪水冲刷初步研究.水力发电学报,2001(1)

[9] 梁志勇.水沙与边界条件变化对高含沙水流输送稳定性影响研究:〔中国水科院博士学位论文〕,

2001

[10] 刘继祥.高含沙水流作用下渭河下游河道冲淤.见:第二届全国泥沙基本理论研究学术讨论会论文集.北京:中国建材工业出版社,1995

[11] 齐璞,赵文林,等.黄河高含沙水流运动规律及应用前景.北京:科学出版社,1993

[12] 钱意颖,等.高含沙水流的基本特性.见:河流泥沙国际学术讨论会论文集.广州:光华出版社,1980

[13] 钱意颖,等.黄河干流水沙变化与河床演变.北京:中国建材工业出版社,1993

[14] 秦毅,等.高含沙水流对管道穿越工程的影响.水土保持学报,2001(5)

[15] 清华大学水力学教研室.水力学.北京:人民教育出版社,1980

[16] 王兆印,等.泥沙研究的发展趋势和新课题.地理学报,1998(3)a

[17] 王兆印,等.挟沙水流的冲刷率及河床惯性的研究.泥沙研究,1998(2)b

[18] 席占平,等.黄河龙门长河段揭河底冲刷现象分析.人民黄河,1999(9)

[19] 杨丽丰,等.龙潼段近年来冲淤变化规律的研究.见:第二届全国泥沙基本理论研究学术讨论会论文集.北京:中国建材工业出版社,1995

[20] 尹学良.黄河下游河床演变.北京:水利电力出版社,1992

[21] 赵业安,周文浩,等.黄河下游河床演变基本规律.郑州:黄河水利出版社,1997

[22] 庄一鸰,林三益.水文预报.北京:水利电力出版社,1986

[23] Wang Zhaoyin. Experimental study on scour rate and river bed inertia. Journal of Hydraulic Research, 1999,37(1)

[24] Wang Zhaoyin, Liang Zhiyong. Dynamic Characteristics of the Yellow River Mouth. Earth Surface Processes and Landforms, 2000(6)

第五章 渭河下游冲淤阈值

经过前人的研究,很多人认为黄河下游具有"大水冲刷、小水淤积"的规律,甚至于与黄河下游相似的一些黄河干、支流可能都具有这一特点。如渭河下游有时符合这一规律、有时又不一定符合;黄河下游当三门峡或小浪底水库下泄清水时并非如此;黄河小北干流似乎介于两者之间。分析其原因,似乎与来水来沙搭配有较大关系,与水沙来源有较大关系,与含沙量高低有较大关系。

5.1 渭河下游河道冲淤特性

渭河是黄河中下游最大的一条支流,流域面积 107 900km² (未包括北洛河),河长820km,其中泾河流域为 45 420km²。渭河流域属于暖温带半干旱、半湿润地带,年雨量为600～800mm。流域可分为渭源、渭南秦岭山区,陕北黄土高原(见图 5-1),以及渭河谷地(见图 5-2)三大地貌单元。其中陕北黄土高原的泾河为渭河提供近 70% 的来沙,提供的水量则仅为 20% 左右。渭源和南山支流则呈水多沙少局面。

图 5-1 渭河(左岸是连绵起伏的塬地)

渭河下游自咸阳至河口全长约 208km,于潼关附近汇入黄河,流域面积 8.8 万 km²。渭河下游两岸支流众多,分布不均(见图 5-3)。北岸支流流量大而长,主要有泾河、石川河、北洛河等。其中泾河长 455km,流域面积 4.5 万 km²,集水面积大,穿行于水土流失严重区,是渭河泥沙的主要来源区;北洛河长 680km,流域面积 2.7 万 km²,在华县水文站

图 5-2　渭河谷地(走出宝鸡峡眺望豁然开阔的渭河)

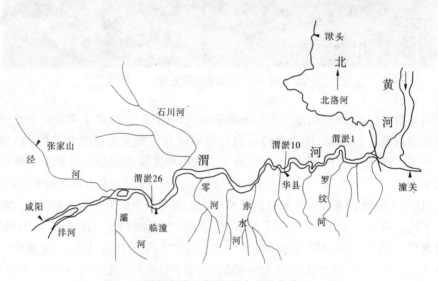

图 5-3　渭河下游示意图(摘自张翠萍等,1999)

以下约 37km 处汇入渭河。南岸支流源于秦岭,坡陡流急,集水面积小,河长多在 21～
107km 之间,河道短直、比降大,常发生暴发性河水,基本为清水,有沣、灞、浐、零、沈、赤
水、遇仙、石堤、罗纹、苟峪、方山、葱峪、罗夫、柳叶、长涧、白龙涧等 16 条支流,多为间歇性
河流(见图 5-4),含沙量较低。

　　根据河道平面形态可将渭河下游干流可分为三段,上段咸阳—泾河口长 34km,河宽
1～1.5km,河床比降 0.5‰～0.8‰,属分汊型河道,河道宽浅,沙滩较多,分汊系数 1.7～

1.8,宽深比$\sqrt{B}/H$大于10。中段泾河口—赤水河口长66km,为从分汊到弯曲的过渡性河道,河宽0.5~1km,河床比降0.2‰~0.5‰,弯曲系数1.2,宽深比$\sqrt{B}/H$在5~10之间。下段赤水河口—渭河口长108km,属弯曲型河道,河宽0.5~1.5km,河床比降0.1‰~0.2‰,弯曲系数1.6~1.7,$\sqrt{B}/H$较小。

图 5-4　枯竭的渭河支流

　　渭河下游不仅水沙异源,水量主要来源于干流咸阳以上,沙量主要来源于支流泾河,而且经常出现高含沙水流,使得下游河道冲淤规律异常复杂。张胜利等[1] (1978)利用1950~1973年的水文资料,将渭河下游的洪水按洪峰来源不同分为以张家山来水为主、咸阳来水为主、张家山和咸阳同时来水三类情况,分析了前两类洪水对渭河下游河道冲淤的影响,认为不同水沙来源对下游河道影响较大。对于张家山来水为主的洪水,当张家山最大日平均流量超过1 000m³/s且下游河道区间水量增加较大(指张家山、咸阳到华县区间的增水量达到张家山、咸阳来水量的的18%以上)时,下游河道冲刷,反之则淤积;对于咸阳来水为主的洪水,当中游(林家村—咸阳)或中下游区间有汇流且较多时,下游河道冲刷,反之则淤积。从这些结论可以看出,大水以及清水汇流都对河道冲刷有积极影响,而小水以及减少清水汇流将有利于河道淤积。

　　何国桢、钱意颖等[2] (1978)也指出,对于泾河来水为主的洪水,一般是大水冲刷、小水淤积;对于渭河来水为主的洪水,当林家村以上来水占40%以上时,渭河下游河道往往

❶　张胜利等,1978年,泾渭河水沙变化及发展趋势的初步研究,黄河泥沙研究报告选编,第一集,下册。
❷　何国桢、钱意颖等,1978年,渭河下游1973年洪水位升高原因的初步分析,黄河泥沙研究报告选编,第一集,下册。

出现淤积,而当林家村以下南山支流来水占 40% 以上时,则发生冲刷。

赵文林等[1](1978)注意到渭河下游冲淤量与水流流量的关系,通过对渭河下游 20世纪 60 年代初到 70 年代初水文资料的分析,指出在洪水以泾河来水为主的情况下,对于渭河临潼以下河道,张家山最大日平均流量大于 1 100m³/s 时河道发生冲刷,反之则淤积;对于咸阳至华县河段,张家山最大日平均流量大于 800m³/s 时河道发生冲刷,反之则淤积。后来又利用 1960~1988 年洪水资料对临潼至华阴河段进行了分析(赵文林等,1993、1994),进一步认识到,河段排沙比大小取决于水流强度,平均流量在 500m³/s 左右时排沙比可达到 1,小于该流量时排沙比小于 1。而且,流量在 100~300m³/s 之间的高含沙小洪水,排沙比最小。这一研究从流量大小的角度,进一步阐明了大水冲刷河道、小水淤积河道的河道冲淤特性。

刘继祥(1995)对渭河下游 1961~1986 年 231 场洪水进行了资料分析,认为在潼关高程变化不大情况下,不同类型洪水造成的冲淤变化主要取决于来水来沙条件,如表 5-1 所示。

表 5-1 不同水沙组合的洪水渭河下游的临界冲淤条件

临潼站最大含沙量 (kg/m³)	≤10	30	50	100	200	300	≥300
临潼站洪峰流量 (m³/s)	450	900	1 200	1 600	2 100	2 500	≥2 500~3 000

张翠萍等(1999)分析了不同阶段泥沙冲淤的分布情况,认为 1960~1973 年三门峡水库蓄清排浑运用以前,临潼以下河道以滩地泥沙淤积为主,主槽泥沙淤积量较小;1973~1986 年,随着上游有利的水沙条件,主槽发生了冲刷;1986~1996 年,主槽淤积严重,特别是 1994、1995 年连续几次平均流量小于 300m³/s 的高含沙小洪水。

曾庆华等(2001)、周文浩等(2001)在强调潼关高程对渭河下游淤积影响的同时也指出,20 世纪 90 年代渭河下游河道萎缩主要是由于含沙量较高的中小流量出现几率增加及高含沙小洪水明显增多造成的。

王桂娥等(2002)认为,渭河下游河道冲淤主要取决于汛期洪水,而不同的洪水来源和组合构成不同的冲淤特性。咸阳以上来水,水流平稳,历时长,含沙量小,泥沙粒径较细。流量小于 4 500m³/s 的中小洪水,进入渭河下游华县至华阴河段,产生少量淤积。洪峰流量大于 4 500m³/s 的大洪水对渭河下游河槽有着冲刷和拓宽作用。1986~1995 年大于1 000m³/s的 6 次洪水(没有发生大于 4 500m³/s 洪水)均在渭河下游产生淤积。泾河洪水峰型尖瘦,历时短、涨落急剧,含沙量高、泥沙粒径粗,流速大,水流挟沙能力强。小流量、高含沙洪水使渭河下游严重淤积。而高含沙大洪水有时对渭河下游产生强烈冲刷,也就是所谓的"揭河底"冲刷,对于减缓渭河河道淤积,降低潼关高程有着明显的作用。

焦恩泽(赵文林主编,1996)曾做了以下总结,由于泾、渭河水沙特性和遭遇情况不同(实际上还应当包括如南山支流的其他支流),对渭河下游冲淤产生不同的影响。当泾河

---

[1] 赵文林等,1978 年,渭河下游冲淤中的几个问题,黄河泥沙研究报告选编,第一集,下册。

出现高含沙量的较大洪水时,渭河将产生剧烈冲刷,包括"揭河底"冲刷;当泾、渭河出现含沙量较大的小洪水时,河道主槽将发生显著淤积;当洪水主要来自林家村以上(占40%以上)时河道以淤积为主;当洪水来自渭河南山各支流时(占40%以上),河道则以冲刷为主。

从以上的研究我们很难找出某一冲淤临界流量,因此可以初步认为,渭河下游的冲淤规律不仅取决于流量的大小,还取决于含沙量的大小,以往的大水冲刷、小水淤积可能会有一些限制条件;并且除了流量、含沙量之外,其显然还受到其他因素的制约。否则的话,不同河流的冲淤临界流量可能是一样的了。

上文的评述是单从水沙条件来看的,河床边界条件对冲淤的临界条件应当会有相当的影响。

5.2 冲淤临界流量的求解

河流输沙率随来水来沙特征不同会有很大变化。对于某一场次洪水而言,泥沙往往来源于同一个流域或临近流域,水沙搭配关系都会比较良好。对于某一河段而言,进出口的水沙关系可能有图 5-5 所示的五种组合情况(双对数坐标):前两种进出口水沙关系线保持平行,分别代表冲刷和淤积情况;第三种进出口水沙关系线重合,代表河段在任何流量下都没有冲淤;后两种进出口水沙关系线相交,代表河段有冲有淤,进出口两线的交点就是冲淤临界流量 Q_c。

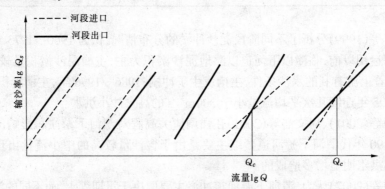

图 5-5 河段进出口水沙关系的五种组合情况

从第二章知道,临界流量主要与河段进口的含沙量有关,把含沙量作为自变量、把其他因素作为已知参数进行考虑。这样可以解得冲淤临界流量为

$$Q_c = \left(\frac{S_0}{fK\rho^m J^m}\right)^{\frac{1}{m-1}} \tag{5-1}$$

其中,系数 f 的数值为

$$f = \left(\frac{K_0 Q^{m_0} J_0^{m_0}}{KQ^m J^m} - 1\right)\frac{q}{\alpha\omega X} + \frac{1 - \frac{K_0 Q^{m_0} J_0^{m_0}}{KQ^m J^m}\exp\left(-\frac{\alpha\omega X}{q}\right)}{1 - \exp\left(-\frac{\alpha\omega X}{q}\right)} \tag{5-2}$$

式(5-1)所代表的关系示意如图 5-6,可以看出,随着含沙量的增加,冲淤临界流量也

逐渐增加。

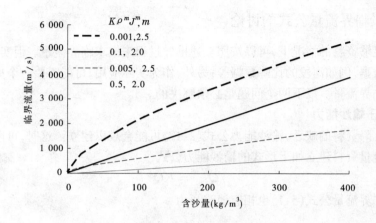

图 5-6　冲淤临界流量简化理论关系

图 5-7 以 $\dfrac{\alpha\omega X}{q}$ 为参数,绘制了系数 f 与河段进出口输沙能力之比 $\dfrac{K_0 Q^{m_0} J_0^{m_0}}{K Q^m J^m}$ 或 $\dfrac{Q_{s0*}}{Q_{s*}}$
的变化关系。图 5-8 以 $\dfrac{K_0 Q^{m_0} J_0^{m_0}}{K Q^m J^m}$ 或 $\dfrac{Q_{s0*}}{Q_{s*}}$ 为参数,绘制了系数 f 与 $\dfrac{\alpha\omega X}{q}$ 的变化关系。由
图 5-8可见,在进出口输沙能力两倍的变化范围内,系数 f 的变化范围并不很大,在
0.6~1.4之间;在进出口输沙能力相差十倍的变化范围内,系数 f 在0.5~5之间变化。因
此,可以认为,冲淤临界流量的仍然服从图 5-5 所示的定性规律,只是在定量上有所区别。
例如,当输沙能力沿程降低较大时,f 值也会较大,这样将大大降低冲淤临界流量的大小。

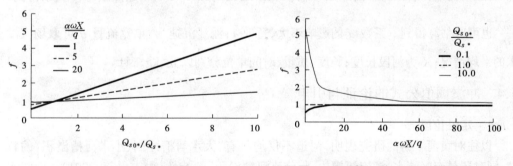

图 5-7　系数 f 的变化范围　　　**图 5-8　系数 f 随 $\alpha\omega X/q$ 的变化关系**

在输沙能力沿程增加情况下,f 值小于1,冲淤临界流量 Q_c 比简化情况下计算的数
值(图 5-6)要大一些;在输沙能力沿程降低情况下,f 值大于1,冲淤临界流量 Q_c 比简化
情况下计算的数值(图 5-6)要小一些。

在沿程淤积情况下,$\dfrac{Q_{s0*}}{Q_{s*}}$ 大于1,对于细颗粒泥沙,$\dfrac{\alpha\omega X}{q}$ 较小,从图 5-7 和图 5-8 可以
看出,这时参数 f 将大于1。从式(5-2)可知,在其他条件相同时,冲淤临界流量基本上与
参数 f 成反比关系,即 $\dfrac{Q_{s0*}}{Q_{s*}}$ 越大,$\dfrac{\alpha\omega X}{q}$ 越小(颗粒越细),则参数 f 也越大 , 冲淤临界流量

越小,河道越容易冲刷。

5.3 冲淤临界流量公式的讨论

在有足够资料的情况下,可以按照上述推导过程来推求临界流量。但实际上,往往缺乏足够的数据,例如河段的比降数据等;另外,作为实际应用,可能需要一个更加简洁的方法来求解临界流量。以下两个问题是必须解决的。

5.3.1 关于输沙能力

由于比降资料的缺乏,输沙能力公式(2-12)可能会难以建立。这时,可以采用比较容易得到的流量资料建立如下形式的输沙能力公式

$$Q_{s*} = KQ^m \tag{5-3}$$

冲淤临界流量公式(5-1)也相应地改写为

$$Q_c = \left(\frac{S_0}{fK}\right)^{\frac{1}{m-1}} \tag{5-4}$$

其中,参数 f 为

$$f = \left(\frac{K_0 Q^{m_0}}{KQ^m} - 1\right)\frac{q}{\alpha\omega X} + \frac{1 - \frac{K_0 Q^{m_0}}{KQ^m}\exp\left(-\frac{\alpha\omega X}{q}\right)}{1 - \exp\left(-\frac{\alpha\omega X}{q}\right)} \tag{5-5}$$

5.3.2 关于参数 f

当所取河段较长(例如大于 100km)且同流量下输沙能力沿程变化不大时,可取 $f = 1$。一般情况下,式(5-5)中的进出口输沙能力之比 $\frac{K_0 Q^{m_0}}{KQ^m}$ 可以通过点绘水沙关系得到,$\frac{\alpha\omega X}{q}$ 也可以估算得到。系数 α 的影响不大,暂取 1;泥沙沉速 ω、单宽流量 q 可取场次洪水的平均情况;X 为河段长度;长度、质量、时间单位分别以 m、kg、s 计。

5.4 冲淤阈值公式的论证与引申

5.4.1 定性论证

以往对黄河下游的研究表明,河道不仅均具有"大水河槽冲刷、小水河槽淤积"的特性,同时还具有"(清水)汇流河槽冲刷、分流河槽淤积"的特性(梁志勇等,2001)。而清水汇流使河槽冲刷的重要原因就是降低了水流的含沙量,分流使河槽淤积的重要原因是增加了河槽的含沙量。从式(5-4)可以看出,含沙量减少将降低冲淤临界流量,增加河槽受到冲刷的机会;而含沙量的增加将加大冲淤临界流量,增加河槽淤积的机会。

对渭河的研究也很类似。张胜利等[❶] (1978)认为,对于张家山来水为主的洪水,当张家山最大日平均流量超过 1 000m³/s 且下游河道区间水量增加较大(指张家山、咸阳到华县区间的增水量达到张家山、咸阳来水量的 18% 以上)时,下游河道冲刷,反之则淤积;对于咸阳来水为主的洪水,当中游(林家村—咸阳)或中下游区间有汇流且较多时,下游河

---

❶ 张胜利等,1978 年,泾渭河水沙变化及发展趋势的初步研究,黄河泥沙研究报告选编,第一集,下册。

道冲刷,反之则淤积。这些认识也反映出清水汇流会降低含沙量、对河道冲刷产生积极影响(含沙量 S_0 降低、冲淤临界流量 Q_c 减小),否则会增加水流的含沙量、将有利于河道淤积(含沙量 S_0 加大、冲淤临界流量 Q_c 增加)的特点。

赵文林等[1](1978)指出在洪水以泾河来水为主的情况下,对于咸阳至华县河段,张家山最大日平均流量大于 800m³/s 时,河道发生冲刷,反之则淤积。对于渭河临潼以下河道,张家山最大日平均流量大于 1 100m³/s 时,河道发生冲刷,反之则淤积。为什么会出现冲淤临界流量沿程增大的情况呢?按照上面的理论分析,其主要原因可能是输沙能力沿程降低造成的。据统计分析(中国科学院地理研究所,1983),咸阳—泾河口比降为 0.6‰、泾河口—赤水河口比降为 0.4‰、赤水河口—三河口比降为 0.13‰、三河口—潼关比降为 0.1‰左右。四个河段的比降相差较大,按相邻比降计算,三个倍数的平均值为 2 左右,这样根据式(5-1),冲淤临界流量将随着比降的降低呈增加趋势。

无论从黄河干流还是渭河下游都发现,小洪水时高含沙水流淤积严重。其重要原因就是临界流量与含沙量成某一次方的正比例关系,而与流量关系不大。来水的含沙量越大,其冲淤临界流量越大。

5.4.2 定量论证

前面已经指出,关于渭河下游的冲淤流量问题已经有不少人做过研究。为了验证式(5-4)的正确性,可以暂将流量与含沙量作为主要因素,不考虑其他次要因素,这样式(5-4)可以写成

$$Q_c = CS_0^{\frac{1}{m-1}} \tag{5-6}$$

其中,$C = \left(\dfrac{1}{fK}\right)^{\frac{1}{m-1}}$。此处我们不妨利用刘继祥(1995)根据 1961~1986 年 231 场洪水资料得到的分析成果进行初步分析,如表 5-1 所示,当含沙量大于 300kg/m³ 时,取含沙量等于 400kg/m³、流量为 4 000m³/s 来考虑。利用表 5-1 数据(暂用临潼站含沙量代替河段进口的含沙量)点绘了临界流量与含沙量的关系,如图 5-9 所示。

经率定,系数 $C = 189$,指数 $1/(m - 1) = 0.53$,相当于 $m = 2.89$,相关系数为 0.99。即渭河下游河道的冲淤临界流量可近似用下式表达

$$Q_c = 189S_0^{0.53} \tag{5-7}$$

5.4.3 水沙系数——黄河下游冲淤平衡的条件

当水沙搭配指数 $m \approx 2$ 时,式(5-6)可以改写成

$$\frac{Q_c}{S} = \frac{1}{fK} \frac{S_0}{S} \tag{5-8}$$

取 S 为与流量 Q_c 相应位置的某一含沙量,当 S 与 S_0 相当时,上式简化为

$$\frac{S}{Q_c} = fK \tag{5-9}$$

即在水沙搭配系数 $m = 2$ 时,河段冲淤的平衡条件是含沙量与流量之比等于某一常数或变化不大的数。

---

[1] 赵文林等,1978 年,渭河下游冲淤中的几个问题,黄河泥沙研究报告选编,第一集,下册。

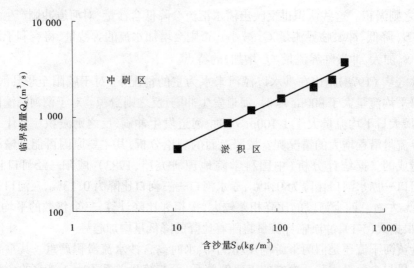

图 5-9 渭河下游冲淤阈值

前人曾经用这一比值 S/Q_c（并称之为来沙系数）表达黄河下游水沙的搭配或平衡程度，是有理论依据的。因为在黄河下游水沙搭配系数 m 多在 2 左右。

当来沙系数等于 fK 时河段冲淤平衡，当来沙系数大于 fK 时河段淤积，当来沙系数小于 fK 时河段冲刷，一般情形如图 5-9 所示。例如在黄河下游，当一次洪水的平均含沙量与平均流量之比（即来沙系数）超过 $0.015\sim0.020\mathrm{kg\cdot s/m^6}$ 时，河槽就会发生较为严重的淤积（赵文林，1996）。

从 1950~1984 年多年平均情况来看，花园口站的年平均流量约为 $1\,456\mathrm{m^3/s}$，这样，从式(5-9)可以求得冲淤平衡情况下的含沙量为

$$S = fKQ_c \approx 0.017\,5 \times 1\,456 = 25(\mathrm{kg/m^3}) \tag{5-10}$$

这说明，在多年平均情况下，冲淤平衡情况下的含沙量约为 $25\mathrm{kg/m^3}$。

5.4.4 冲淤量与含沙量关系

顺便指出，某一河段泥沙的淤积率可由式(2-9)考虑，即

$$\Delta Q_s = \left[1 - \exp(-M)\right]\left[Q_{s0} - \frac{Q_{s0*} - Q_{s*}}{M}\right] - \left[1 - \frac{Q_{s0*}}{Q_{s*}}\exp(-M)\right]Q_{s*} \tag{5-11}$$

利用式(5-3)的输沙能力公式，则相应于单位体积径流量的河道淤积量为

$$\frac{\Delta Q_s}{Q} = \left[1 - \exp(-M)\right]\left[S_0 - \frac{K_0 Q^{m_0-1} - KQ^{m-1}}{M}\right]$$
$$- \left[1 - \frac{K_0}{K}Q^{m_0-m}\exp(-M)\right]KQ^{m-1} \tag{5-12}$$

式中：$M = \dfrac{\alpha\omega X}{q}$。

从上式可以看出，对于某一特定的长河段长时期而言，由于 M 值较大，$\dfrac{\Delta Q_s}{Q}$ 将主要与该时段的含沙量有关。这样，$\dfrac{\Delta Q_s}{Q}$ 将与含沙量成某一线性关系。

据研究(赵文林,1996),从黄河下游的多年平均情况来看,相应于单位体积径流量的河道淤积量与年平均含沙量确实存在这样的关系(图 5-10)。这从另外一个侧面也反映了冲淤量与含沙量的关系,当冲淤量等于 0,即河段冲淤平衡时,含沙量恰好在 25 kg/m³ 左右(图 5-10),与从式(5-10)得到的完全一致。

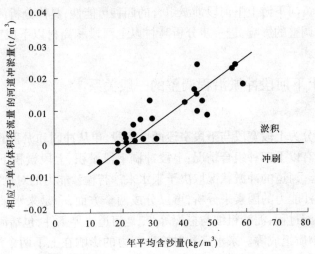

图 5-10　黄河下游河道冲淤量与年平均含沙量的关系

参 考 文 献

[1] 梁志勇,等.黄河高含沙水流水沙运动与河床演变.郑州:黄河水利出版社,2001

[2] 刘继祥.高含沙水流作用下渭河下游的河道冲淤.见:第二届全国泥沙基本理论研究学术讨论会论文集.北京:建材工业出版社,1995

[3] 王桂娥,季利,李杨俊.渭河水沙条件变化对河床冲淤的影响分析.http://www.waterinfo.net.cn/,2002.5

[4] 曾庆华.重温历史经验,进一步改建三门峡水利枢纽,解决潼关以上库区继续淤积和洪涝灾害问题.泥沙研究,2001(3)

[5] 张翠萍,等.渭河下游近期水沙特性及冲淤规律.泥沙研究,1999(2)

[6] 赵文林,等.渭河下游河槽调整及输沙特性.见:黄科院科学研究论文集(第四集).北京:中国环境科学出版社,1993

[7] 赵文林,等.渭河下游河道输沙特性与形成窄深河槽的原因.人民黄河,1994(3)

[8] 赵文林.黄河泥沙.郑州:黄河水利出版社,1996

[9] 中国科学院地理研究所.渭河下游河流地貌.北京:科学出版社,1983

[10] 周文浩,等.潼关高程及遏制渭河下游淤积的对策.泥沙研究,2001(3)

第六章 黄河下游上下河段冲淤调整的关系

本章概括分析黄河下游上下河段冲淤组合的四种可能性,具体分析河南段、山东段河道边界条件对冲淤调整的影响,进一步分析高村以上河段和高村以下或艾山以下河段之间的冲淤调整关系。

6.1 黄河下游上下河段冲淤沿程调整的一般关系

6.1.1 一般关系

若将黄河下游分为上段宽段与下段窄段两个河段、单从冲刷和淤积的角度来考虑,则上下两个河段可能有以下四种组合情况:上段冲刷下段淤积、上段淤积下段冲刷、上段下段皆为冲刷或淤积。河道的冲淤状况取决于来水来沙与输沙能力的对比关系。

从影响水流输沙能力的因素来分析,可以分成两个方面,一是来水来沙方面的因素,包括水沙大小与搭配过程、泥沙粗细与搭配等;二是河道边界条件,包括河道纵比降、断面形态、河床与河岸物质组成等。来水来沙对输沙能力的影响在上下两个河段的表现差异为,上段洪水过程相对陡涨急落、下段洪水过程相对缓慢,上段水沙搭配可能差异较大、下段水沙搭配相对均衡,上段洪水的流量与含沙量较大、下段洪水的流量与含沙量较小,从而造成了上段的泥沙冲淤变化幅度大于下段或上段输沙的稳定性小于下段;河道边界条件对洪水输沙能力的影响在上下两个河段的表现差异是,上段比降陡峻、下段比降平缓,使同水深时上段水流流速大于下段、上段输沙能力大于下段,上段断面宽浅、下段断面相对窄深,同比降(以及糙率)时使上段水流流速小于下段水流流速,上段河床泥沙较粗、下段河床泥沙较细,使同流速时上段河床更不容易被冲刷。

从水流连续方程

$$Q = VBH \tag{6-1}$$

曼宁公式

$$V = \frac{1}{n} H^{2/3} J^{1/2} \tag{6-2}$$

和水流挟沙能力方程

$$S_* = K \left(\frac{V^2}{gH\omega} \right)^m \tag{6-3}$$

可以得到水流的输沙能力

$$Q_{s*} = \frac{KQ}{(gn^3\omega)^m} (HJ^{3/2})^m \tag{6-4}$$

当上下段糙率变化不大时,上下段的挟沙力之比

$$\frac{Q_{s*u}}{Q_{s*d}} = \frac{Q_u}{Q_d} \left(\frac{\omega_d H_u J_u^{3/2}}{\omega_u H_d J_d^{3/2}} \right)^m \tag{6-5}$$

黄河下游一般情况下,上段洪水流量大于下段流量,上段沉速大于下段沉速,上段比降大于下段比降,只有上段水深会小于下段水深,这样上段输沙能力大于下段输沙能力,

即上下段输沙能力之比常常为

$$\frac{Q_{s*u}}{Q_{s*d}} \geqslant 1 \tag{6-6}$$

当上段水深小于下段水深较多时,也会出现相反的情形。

6.1.2 断面形态的影响

断面本身变化对水流输沙的影响表现在以下几方面:①窄深断面具有更高的输沙能力,而含沙较多的洪水常常使过水断面趋于窄深,对高含沙水流来讲更是如此。②不同来水来沙所塑造的断面形态不同,当来水来沙变化剧烈时断面形态也会发生变化。例如高含沙洪水所塑造的窄深断面在小含沙量或清水情况下滩岸往往出现塌坍,窄深断面难以维持。

关于断面形态问题,尹学良等在 20 世纪 80 年代初(尹学良,1992)曾经指出了断面形态对河道水流输沙的影响,提出了表达断面形态影响特征的方法。认为断面形态不仅对输沙有影响,对河道输水也有影响。建议用下列式子表达断面形态的这种特征:

表称流量

$$Q_H = \sum bh^{5/3} \tag{6-7}$$

表称输沙率

$$Q_{sH} = \sum bh^{8/3} \tag{6-8}$$

深宽比

$$H_b = \frac{\sum bh^{8/3}}{\sum bh^{5/3}} \tag{6-9}$$

式中:b 为第 i 垂线部分的河宽;h 为第 i 垂线部分的水深。

对过水面积、河宽相等但形状不同的断面分析表明,三角形断面的输水输沙能力是同种情况下矩形断面输水输沙能力的 1.19 倍和 1.73 倍。深宽比越大,表示断面越窄深。

梁志勇等认为,断面形态对水流流动与河道输沙均有影响。从两相紊流挟沙的角度出发,推得了断面形态对挟沙能力的影响可以用系数 α 来反映。对于河宽相同、断面面积相等而断面形状不同的过水断面,其挟沙能力差别较大。矩形断面时系数 α 为 1,二次抛物线型时为 1.1,三角形时为 1.2,而复式断面时为 2.0,是矩形断面的两倍(梁志勇等,1993)。

齐璞等(1993)从黄河干支流情况出发,从多种角度论证了断面形态对输沙的影响,认为窄深断面有利于输送泥沙、特别是高含沙水流的泥沙输送。

费祥俊(赵业安等,1997)就断面形态对高含沙水力因素的影响进行了分析,认为对于高含沙水流或窄深河段而言,仅用宽深比(河宽 B 与水深 H 之比)来代表断面形态是不够准确的,建议用参数 M 来表达断面形态,并用该参数反映断面形态对水力因素的影响。参数 M 为湿周 p 与水力半径 R 之比,即

$$M = \frac{p}{R} \tag{6-10}$$

河道断面形态越窄深,M 值越小。从曼宁公式、水流连续方程以及水力半径与过水面积

的关系,可以得到在比降、糙率等不变情况下的断面平均流速 V 与流量 Q 的关系为

$$V \propto \left(\frac{Q}{M}\right)^{1/4} \tag{6-11}$$

即其他因素不变时,同流量下流速与断面形态参数 M 的 1/4 次方成反比。窄深断面的 M 值小,会导致同流量的平均流速加大;由于输沙能力与流速的高次方成比例,因此水流的输沙能力会增加更多。

断面形态对输沙影响的研究已经得到了大多数学者的承认,实际上断面形态与输水输沙之间的关系具有双重性。一方面来水来沙塑造了断面形态,另一方面断面形态又影响输水输沙。

断面形态的沿程变化对水沙输移更有相当的影响,特别是高含沙洪水的输移。这种影响不仅表现在洪水漫滩以后泥沙的大量淤积,而且在洪水漫滩以前也有类似的淤积嫩滩、刷深主槽现象。

因此,按照输沙能力的沿程变化,从更普遍的意义上讲,本节开始提到的上下段冲淤调整的四种组合关系都可能出现在黄河下游。

韩其为(2004)从黄河下游河型沿程变化的实际出发,从水流连续方程、阻力方程、河相关系等建立了河相系数与流量的关系,探讨了上下河段(游荡型河段与弯曲性河段)水力因素的对比关系,证明了山东河道冲刷的临界流量约为 2 500m³/s,认为在不漫滩情况下长时期内上、下河段输沙基本处于平衡状态。

6.2 黄河下游非均匀河槽对输沙和冲淤的影响

非均匀河槽是指沿水流方向横断面形态不断变化的河槽,如从峡谷河道到平原河道断面的沿程扩大、游荡型河道断面形态沿程的宽窄相间等情况。平面上沿程宽窄相间是黄河下游游荡型河段非均匀河槽的一个重要的几何特征,这个特性不仅影响着洪水的传播,而且对泥沙输移的影响更为深刻,特别是高含沙洪水情况下的泥沙输送。1960 年 9 月~1999 年 10 月高含沙洪水所造成的淤积量为 46.46 亿 t,占所统计洪水淤积总量的 96.5%。

黄河下游河道的宽窄相间河段不仅是滩槽整个河流的沿程宽窄相间,而且就河槽本身来说也是沿程宽窄相间的。因此,宽窄相间河段对泥沙冲淤的影响不仅表现在洪水漫滩以后,而且也表现在洪水漫滩以前。图 6-1 绘制了 1990 年黄河下游铁谢以下河段河槽宽度及滩地宽度的沿程变化情况。可以看出,铁谢—河口的 800km 范围内,从滩地与河槽的宽度变化来看基本上可以分成三段:第一段铁谢—陶城铺为宽段,第二段陶城铺—利津为窄段,第三段利津以下为宽段。第一段的平面形态为宽窄相间,基本上以郑州铁路大桥(秦厂)、辛寨、开封公路桥(曹岗)、东坝头、东明大桥(高村)、陶城铺等为节点,其间分别有伊洛河口、花园口、高村、孙口等宽槽宽滩的大肚子河段。宽窄相间的河段不仅存在于滩地,而且也存在于河槽。河槽沿程的宽窄相间也同样会对泥沙的落淤起到促进作用,因为在河槽之中还有嫩滩与主槽之分。

黄河下游山东河段是典型的限制性弯曲型河段,该河段就整个滩槽组成的河道而言,沿程的横断面形态也存在着非均匀性,只是其上游的游荡型河段不同而已;而河槽沿程的

非均匀性则不同,基本上由弯道弯曲段与中间过渡段组成,虽然也有弯段深槽与过渡段浅滩,但河槽沿程相对还是要比游荡型河段均匀得多。

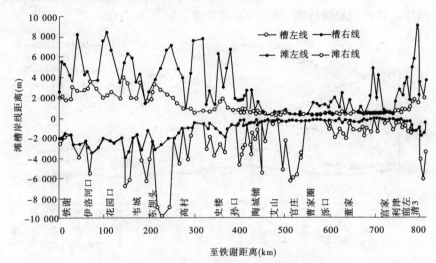

图 6-1 黄河下游宽窄相间河段滩地和河槽宽度的沿程变化(牛占等,2000)

6.2.1 宽窄相间河段的输沙模式

游荡型河段与限制性弯曲型河段这两种平面形态的沿程变化使黄河下游的泥沙输移更有特色。游荡型河段的泥沙运动特征主要表现在,洪水漫滩后泥沙在宽滩上大量落淤,在节点处清水归槽,其平面输沙模式可以概化如图 2-2 所示。弯曲型河段水流漫滩后泥沙运动的主要特征是,由于滩地和河槽在平面上具有不同程度的弯曲,导致水流运动方向的不同,滩槽之间存在水沙交换(图 6-2)。水流进入滩地后形成大量淤积,较清的水流归槽后又进一步影响河槽中的泥沙运动,其平面输沙模式可以概化如图2-2 所示。

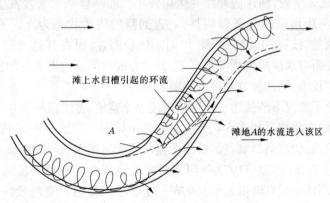

图 6-2 弯曲型河槽的滩槽水沙交换

6.2.2 泥沙冲淤沿程波动

图 6-3 为下游各站滩唇高程以下河槽断面面积某一时段的历年变化情况,可以看出,断面面积的变化不仅随时间而增加或减少,同时随空间(沿程)也在增加或减少。这种波动变化所反映的现象实际上包括了两个方面:一是同一地点(断面)随时间波动变化现象,

在某一时期上一宽河段淤积、断面面积减少,下一宽河段冲刷、断面面积增加;而在另一时期则相反。二是沿程波动现象,即对于同一个水流过程,冲刷(或少淤积)了上一河段、淤积了下一河段。这种现象被称做"泥沙冲淤传输波"(牛占等,2000)。

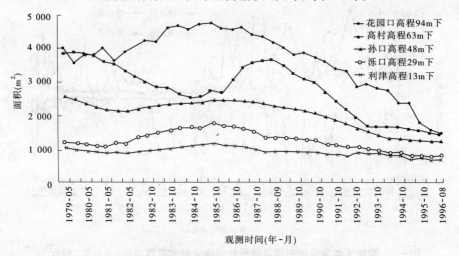

图 6-3　下游各站滩唇高程以下河槽断面面积的历年变化情况

从广义的角度来看,这种存在于"宽段—窄段—宽段"河道中的泥沙冲淤波动特性存在于整个河流系统之中。例如,河流中的"水库—河道—水库"系统,河床形态变化中的"深槽—浅滩或急流—深槽"系统。前者的规模可能较大,而后者的规模则可能较小。

这种现象是由水流泥沙与河床形态不相适应或差别较大而引起的。这一点可以从两方面得到印证。一方面,在来水来沙与河床形态相适应时,河道的冲淤现象将不再存在。当上游来水来沙不变时,宽窄相间的河道在经过一定的时间后也会达到某种均衡状态。这时,无论在宽段还是窄段,河床的冲淤变化均较小。而一旦来水来沙发生变化,则会破坏这种均衡,引起河床形态的一系列调整,一直到新的均衡状态为止。另一方面,从图6-3可以看出,所谓的"波"在1981~1988年期间比较明显,而在其他时期与河段并不明显。这种波动一方面与水沙的剧烈变化有关,另一方面与河道边界条件的剧烈变化有关。如果两者的变化均较小,则这种波动将会减弱。

为此我们点绘了黄河下游铁谢—陶城铺河段5个宽槽、宽滩河段历年(同一测次标准水位下)断面面积的变化情况如图6-4所示。从图6-4可以看出,在三门峡水库兴建后下游河道清水冲刷阶段,伊洛河口和花园口两个宽河段的河槽面积呈逐渐增加趋势,而其余宽河段则呈现减小趋势;1970~1972年伊洛河口和花园口两个宽河段河槽面积变化不大,而其余宽河段则均呈明显降低趋势;1976~1985年伊洛河口宽河段河槽面积先回升后降低,花园口宽河段变化不大,而其余宽河段则均呈明显降低趋势(其中东坝头宽河段1983年以后有回升态势)。这说明这种波动确实是与来水来沙关系密切,在来水来沙变化较大情况下,这种波动现象将会比较明显。

图6-5绘制了三门峡以下1950年以来若干场洪水的最大含沙量沿程变化过程,分别是1953、1954、1956、1959、1969、1970、1971、1973、1977年(1、2)10场洪水。50年代的4场洪水最大含沙量的变化情况是,1953年在小浪底—高村之间最大含沙量从小浪底的

600kg/m³ 左右下降至高村的 200kg/m³ 以下;1954 年则是小浪底—花园口之间淤积较为严重,含沙量从小浪底的 800kg/m³ 以上下跌至花园口的 400kg/m³ 左右;1956 年含沙量下降严重区在小浪底—夹河滩之间;1959 年则在小浪底—花园口之间。

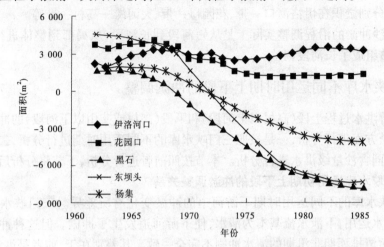

图 6-4　黄河下游 5 个宽槽、宽滩河段河槽面积变化情况

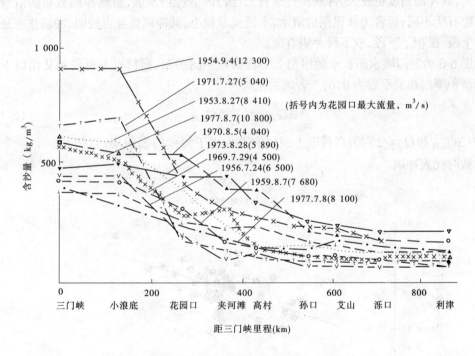

图 6-5　最大含沙量的沿程衰减过程(胡一三等,1996)

1969 年洪水的最大含沙量衰减严重的区域在小浪底—夹河滩,1970 年在花园口—夹河滩和高村—孙口,1971 年在小浪底—花园口,1973 年在夹河滩—孙口,1977 年(1)洪水在高村以上,1977 年(2)洪水在花园口以上和夹河滩—高村之间。

从以上两个洪水系列的资料可以看出,从小浪底—孙口河段可能存在所谓的"泥沙传输冲淤波"。冲淤波的作用使泥沙淤积在该河段中的泥沙不断向下游"滚动发展"。

牛占等(2000)曾指出,这种泥沙冲淤传输波现象在黄河下游历年漫滩洪水部位的时空演变中也有明显显示。以1977、1982、1996年洪水为例,泥沙淤积以及洪水未漫滩部位在逐年下移,分别淤积在伊洛河口一带、花园口一带、夹河滩—高村一带等。

因此,泥沙冲淤的沿程调整实际上是从短河段到长河段,从局部到整体进行的,众多的短河段调整组成了长河段调整。

6.3 三门峡水库不同运用时期上下段的冲淤调整

黄河下游洪水过程上段(高村以上河段)和下段(高村或艾山以下河段)的冲淤调整关系可以从两个方面进行分析,一是按照三门峡水库的不同运用时期进行分析,二是根据不同流量级、不同含沙量级洪水进行分析。本节按照前者进行分析,下节将分析后者。

6.3.1 三门峡水库运用初期上下段的冲淤调整关系

在三门峡水库的不同运用时期下游河道的冲淤变化有所差异。三门峡水库运用初期,水库为蓄水运用,下泄水流基本为清水,使下游河道发生了冲刷。但这种冲刷与后来三门峡水库蓄清排浑期非汛期的清水冲刷不完全一致。其差别在于,前者是洪水,水流流量较大,其冲刷强度也较大,冲刷往往是自上(游)向下(游)发展,虽然冲刷数量的沿程分布可能有所不同;后者为非汛期的清水,水流流量较小,其冲刷强度也较弱,冲刷往往是冲刷了上段,淤积了下段,或下段冲刷有限。

图6-6为三门峡水库蓄水运用期上下段淤积率的关系,高村以上河段和艾山以下河段的淤积率的相关系数为0.6,二者的关系为

$$\Delta Q_{sd艾} \approx \frac{1}{4}\Delta Q_{su高} \tag{6-12}$$

式中:$\Delta Q_{su高}$和$Q_{sd艾}$分别为高村以上河段和艾山以下河段的淤积率,以亿 t/d 计,淤积率为负数时代表冲刷。

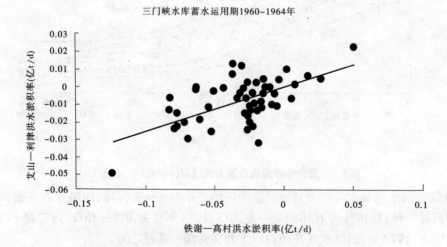

图 6-6 三门峡水库蓄水运用期上下段冲淤关系之一

上式表明:①在三门峡水库蓄水运用到改建前这一阶段,艾山—利津河段的洪峰淤积率与高村以上河道的洪峰淤积率呈完全正相关。高村以上河段为淤积时,艾山—利津河道也为淤积,高村以上河段为冲刷时,艾山—利津河道也为冲刷,高村以上河段淤积为 0 时,艾山—利津河道淤积也为 0。②艾山—利津河段与高村以上河段的冲淤性质一致,前者的数量是后者的 25% 左右。

如果以高村—利津河段为下段进行分析,则所得到的结论稍有变化。图 6-7 为同一时期高村—利津河段淤积率与铁谢—高村河段淤积率的关系,图中实线为所有点据的计算机自动相关直线,虚线为人工分析的相关曲线。前者的相关系数为 0.62,直线方程为

$$\Delta Q_{sd高} \approx 0.3 \Delta Q_{su高} - 0.006 \tag{6-13}$$

式中:$\Delta Q_{su高}$ 和 $\Delta Q_{sd高}$ 分别为高村以上和以下河段的淤积率,以亿 t/d 计,淤积率为负数时代表冲刷。

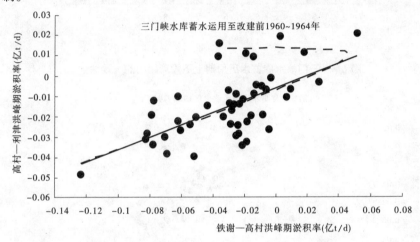

图 6-7　三门峡水库蓄水运用期上下段冲淤关系之二

在这一时期高村上下河段冲淤调整的关系与艾山—利津和高村以上河段的冲淤调整关系稍有不同,这一差异可能给我们启示。可以看出:①多数情况下,高村—利津河段的淤积率与铁谢—高村淤积率呈正相关的特性,基本上还可以按照式(6-13)所表示的关系描述,图 6-8 进一步描绘了 1962 年上下段的冲淤调整的一致性关系,即上段冲刷比小时下段冲刷比也小,上段冲刷比大时下段冲刷比也大。②当铁谢—高村淤积率增大或冲刷率减少到某一数值(如图 6-7 中的 -0.04)后,将对应两个数值的高村—利津淤积率,即为双值关系,如图中虚曲线所示,高村—利津淤积率大于 0.008 亿~0.009 亿 t/d 后,高村—利津淤积率与铁谢—高村淤积率基本变化不大,维持在某一范围内,似乎高村—利津淤积率在淤积情况下均维持常数

$$\Delta Q_{sd高} \approx 0.013 \tag{6-14}$$

以上分析说明,淤积率或冲刷比除与水流流量有关外(如图 6-9 和图 6-10),还在相当程度上受到前期冲刷的影响。这意味着经过汛期洪水的冲刷,到汛末时高村—利津河段已经难以继续被冲刷而发生了淤积。

图 6-11 和图 6-12 为 1963~1964 年三年汛期洪水上下段淤积比(淤积量与来沙量之

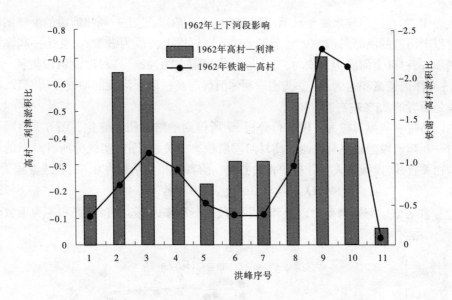

图 6-8　三门峡水库蓄水运用期上下段冲刷比的一致性

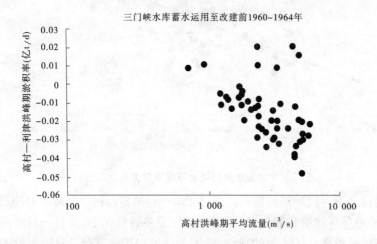

图 6-9　三门峡水库蓄水运用期下段淤积率与流量关系

比)的分布情况。可以看出:①下段(高村—利津河段)与上段(铁谢—高村河段)的变化规律基本一致,上段冲刷时下段也冲刷或少淤积、上段淤积时下段也淤积或少冲刷,上段冲淤数量大则下段冲淤数量也大。这说明下段在很大程度上受制于来水过程,而不是含沙量过程。②每年汛末时,下段都表现为难以冲刷或淤积比相对较大,例如,1962年汛末上下段的冲刷比都达到最小,1963、1964年汛末更是出现了上下段的同时淤积。这说明随着冲刷的不断进行,到汛末时已经达到了相当的程度,如河床粗化、断面窄深等都使阻力增大、河床变得难以冲刷,前期冲刷的影响已经变得十分重要了。

　　因此,可以得到以下初步结论:当三门峡水库下泄低含沙量洪水时,一般可以冲刷到艾山—利津河段;洪水流量越大,沿程的冲刷量也越大;下段与上段的冲淤定性上一致,定量上呈现出亦步亦趋的态势。

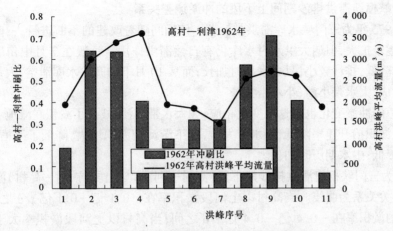

图 6-10　三门峡水库蓄水运用期下段冲刷比与流量的一致性

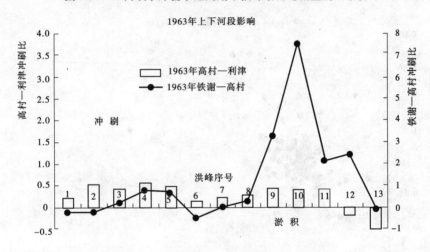

图 6-11　1963 年上下段冲刷比的一致性

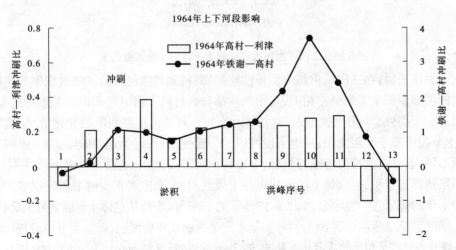

图 6-12　1964 年上下段冲刷比的一致性

6.3.2　三门峡枢纽滞洪排沙期间上下段的冲淤调整关系

1965～1973年为三门峡水库滞洪排沙期。该期间随着改建的不断进行,三门峡水库的泄流规模逐步扩大,但遇大洪水时水库仍有自然滞洪作用。一般在7月中旬后水库滞洪,洪峰调匀降低,排沙较小,且中水历时加长;而从10月下旬开始水库泄空,大量冲刷前期淤积物,形成"大水带小沙,小水带大沙"。

下游河道的冲淤变化也与这些变化相应,如大水带小沙,减少了淤积在滩地上的泥沙数量,使滩地淤积抬升速率降低;小水带大沙,使下游河槽淤积增大,降低了滩槽高差,并使过洪能力降低;中水期历时加长。

图6-13为三门峡枢纽滞洪排沙期下段(高村—利津)与上段(铁谢—高村)淤积率的关系,二者相关关系为曲线。当高村以上河段淤积率在 − 0.1 亿~0.1 亿 t/d 之间时,高村以下河段的淤积率在 − 0.4 亿~0.4 亿 t/d 之间;当高村以上河段淤积率大于 0.1 亿 t/d 时,高村以下河段的淤积率在 0.06 亿 t/d 左右。

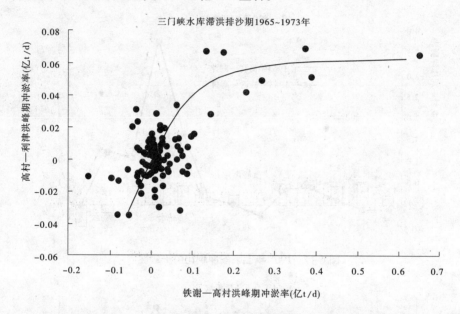

图6-13　三门峡枢纽改建期间上下河段冲淤调整关系

这一关系表明,在三门峡枢纽滞洪排沙期间,高村到利津河段的洪峰淤积率与高村以上河道的洪峰淤积率不完全正相关,艾山到利津与高村以上河道淤积率的关系与此类似。

图6-14为1965年各次铁谢—高村河段、高村—利津河段淤积率的变化情况,从整体上看,上下段出现了全面淤积;从上下段冲淤的一致性来看,与上述1960~1964年两者关系有所不同,前4次洪峰两者刚好相反,上段冲刷时下段淤积,上段淤积时下段冲刷;后8次洪峰虽然都是淤积,但也是上段淤积多时下段淤积少,上段淤积少时下段淤积多。

1966年的情况也与此类似。如图6-15所示的1966年,上段从整体上看除8号洪峰外,均为淤积;而下段从2号洪峰到10号洪峰则基本上是冲刷或较少淤积,而且上下段淤积比分布线的波峰波谷往往是相反的或者是互补的,如3~6号洪峰;又如图6-16所示的1969年。

但到了1970年以后,情况就发生了变化。图6-17~图6-19分别绘制了1970年和

1972～1973年各场洪水上下河段淤积比的变化情况,可以看出,上下段的冲淤分布趋势经常是相似的,上段淤积比曲线为波峰时下段也是波峰,上段淤积比曲线为波谷时下段也为波谷。其原因是,在滞洪排沙初期,前期河床的冲刷较大,一旦淤积便首先落淤在上段,从而造成了冲上淤下的局面;随着淤积的进行,河道形态逐渐得到了恢复,前期冲刷的影响越来越小,在上段的淤积也开始逐渐减小,形成上下都淤的局面。

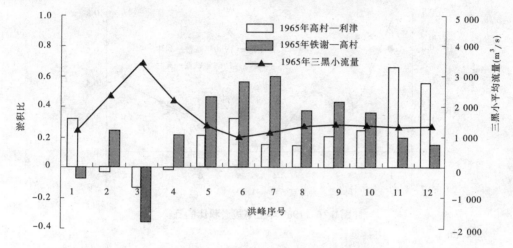

图 6-14　1965 年上下段淤积比的互补

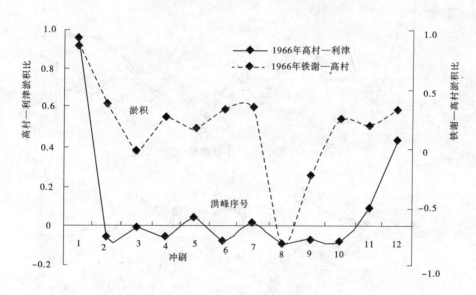

图 6-15　1966 年上下段淤积比的互补

6.3.3　三门峡水库蓄清排浑期间上下段的冲淤调整关系

1973 年 11 月以来为蓄清排浑控制运用期,汛期(7～10 月)降低水位防洪排沙,水位为 300～305m。该运用期下游河道的水沙特点是,非汛期因水库蓄水拦沙而下泄清水,汛期来临时降低水位泄空排沙,汛期内水库不加控制,自然滞洪排沙,对流量超过 6 000m³/s 的洪水仍有削峰作用,汛期排泄浑水。

该时期下游河道的冲淤特点是,非汛期上段冲刷、下段淤积。冲刷流量越大,所能冲刷的河段就越长。汛期中小水上段淤积多、下段淤积少;大水期间主要以淤滩刷槽为主,下段更为明显。该期间,非汛期淤积在水库的泥沙随着汛期库水位的下降而有相当部分被冲刷下泄,加大了洪水的含沙量,水流呈超饱和输沙状态向下游排泄,淤积的沿程分布为上大下小。

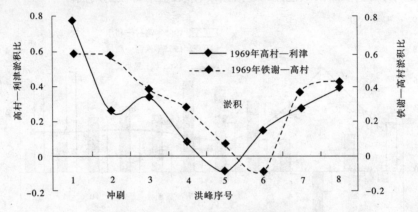

图 6-16　1969 年上下段淤积比的互补

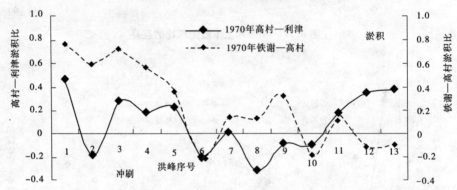

图 6-17　1970 年上下段淤积比的一致性

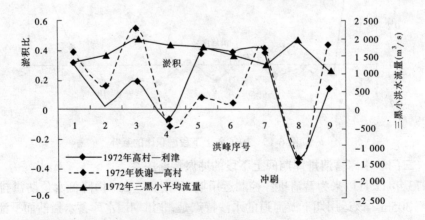

图 6-18　1972 年上下段淤积比的一致性

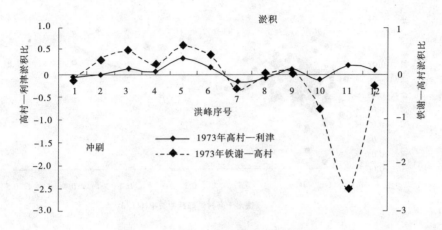

图 6-19　1973 年上下段淤积比的一致性

建库前黄河下游本来就是一条挟带泥沙量大的河流,蓄清排浑运用后,加大了汛期的沙量,使水沙情况呈现出明显的"水少沙多"特征,河道的冲淤量与来沙量关系最为密切,冲淤表现为所谓的"多来多淤"。图 6-20 绘制了建库前与蓄清排浑期三门峡到花园口河段平均淤积率与三黑小(代表三门峡、黑石关、小董三站之和)来沙率之间的关系,正好说明了这种情况。

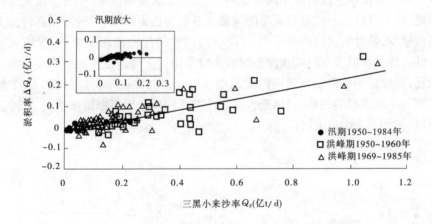

图 6-20　不同时段河道淤积率与三黑小来沙率的关系

图 6-21 为三门峡水库蓄清排浑运用期下段(艾山—利津)与上段(铁谢—高村)淤积率的关系,可以看出:①在三门峡水库蓄清排浑运用期间,上下段洪峰淤积率的相关程度较低,虽然仍然具有一定程度的相关。②艾山—利津河段与高村以上河段冲淤的一致性较差,且冲淤性质不完全一致。

因此,可以得到以下初步结论:①当三门峡水库下泄低含沙量洪水时,下段与上段的冲淤定性上一致,定量上呈现出亦步亦趋的态势。②当前期累积冲刷影响较大时,下游河道会出现上淤下冲的局面;当前期累积淤积影响较大时,下游河道会出现上冲下淤的局面。

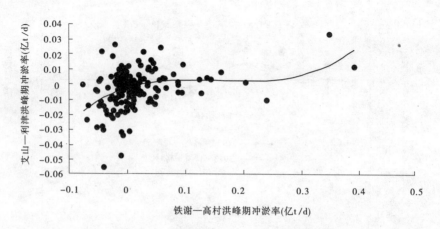

图 6-21　三门峡水库蓄清排浑期间上下河段冲淤调整关系

6.4　汛期洪水上下段的冲淤调整关系

6.4.1　上下段河道冲淤与水沙关系

　　前人研究表明,由于黄河下游河道为冲积河道,进入下游河道的水沙搭配经过下游上段河道的调整,到达艾山以下的下段时水沙搭配已经变化不大,水沙搭配已经较为稳定。如刘月兰(1995)按照水沙搭配不同分成高含沙洪水、大漫滩洪水、低含沙水流几种情况进行了讨论,认为高村以下已整治束窄的河道具有较为稳定的滞沙特性;而高村以上河段则稳定滞沙量少,具有明显的调沙作用,将高含沙洪水的泥沙淤积下来,低含沙水流时冲刷下去。低含沙洪水以及三门峡水库下泄清水时艾山以上河道发生冲刷;上段冲刷、含沙量沿程恢复,但增加了艾山以下河道的淤积量或减少了其冲刷量,并利用图 6-22 为例说明上段冲刷与下段淤积的关系,指出低含沙水流及三门峡水库下泄清水情况下,冲刷了艾山以上河段、淤积了艾山以下河段。

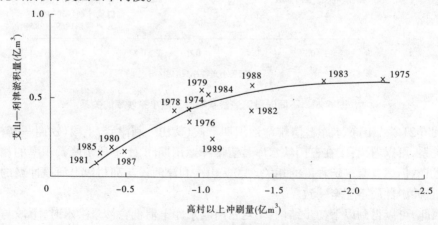

图 6-22　非汛期上下段冲淤关系(刘月兰,1995)

　　需要指出的是,图 6-22 仅仅利用了非汛期的资料,而没有任何汛期洪水的资料,因此只能说明在非汛期水流强度较小的情况下,上段冲刷难以发展到下段,而造成了上冲下淤的局面,但不能说明洪水或者低含沙洪水的情况,洪水的情况已经在上节中有所阐述。

图 6-23、图 6-24 分别为高村以上河段排沙比、输沙率与三黑小水沙系数 $Q/S^{0.8}$ 的关系,相关系数均较高,其中排沙比的关系为 0.97,排沙比

$$\lambda_{s\pm} = \frac{W_{s高}}{W_{s三}} = 0.006\ 8\left(\frac{Q}{S^{0.8}}\right) - 0.072\ 3 \tag{6-15}$$

式中:$W_{s高}$ 和 $W_{s三}$ 分别为高村和三黑小的洪水输沙量;Q 和 S 分别为洪水的平均流量和平均含沙量。

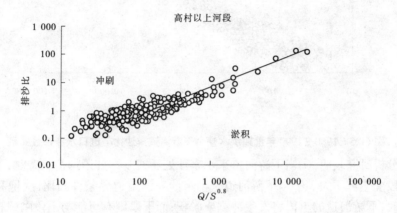

图 6-23　1960～1999 年汛期洪水上段排沙比与水沙系数关系

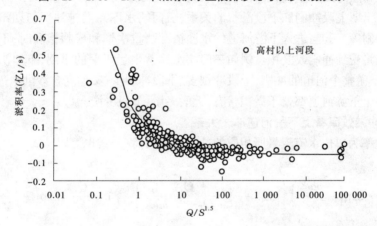

图 6-24　1960～1999 年汛期洪水上段淤积率与水沙系数关系

同一河段不同代表参数与水沙系数的关系说明:①从排沙比关系来看,上段的排沙比与水沙系数的 0.43 次方成比例,可以按照式(6-15)计算,虽然河道受到冲刷的范围为两个数量级、淤积的范围只有一个数量级,但是淤积的点据资料却多于冲刷的。②淤积率与水沙系数大致成反比关系,但当水沙系数大于 30 以后,淤积率变化不大,基本在每天冲刷0.05 亿 t 左右。

图 6-25 为从三门峡到利津的下游河道排沙比与水沙系数的关系,相关系数为 0.91,排沙比为

$$\lambda_s = \frac{W_{s利}}{W_{s三}} = 0.007\,8\,\frac{Q}{S^{0.8}} - 0.324 \tag{6-16}$$

整个河段

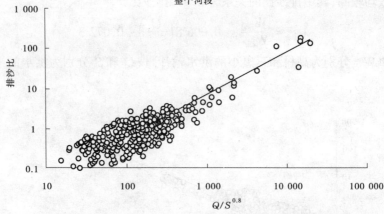

图 6-25　1960~1999 年汛期洪水整个下游河道排沙比与进口水沙系数关系

以上分析研究表明：①当下游河道来水来沙处于或基本处于均衡状态时，下游河道的上段和下段变化都不大。②当下游河道来水来沙与河道边界条件相比，次饱和或超饱和程度较低时，下游河道的上段将发生冲刷或淤积；而下段则有可能与上段刚好相反。这时往往会沿程和随时间产生波状冲淤或冲上淤下、此时冲彼时淤。例如，三门峡水库蓄清排浑期间的非汛期上段冲刷和下段淤积的关系，三门峡水库滞洪排沙期初期汛期的上段淤积和下段冲刷等。③当进入下游河道的水沙搭配严重次饱和或超饱和时，下游河道的上段与下段都将受到冲刷或淤积。例如三门峡水库蓄水运用期的汛期，下泄洪水的含沙量较低，造成下游整个河道的冲刷，上段冲刷多、下段冲刷少；又如高含沙洪水进入下游河道后常常使整个下游河道都处于淤积状态，上段多淤，下段少淤。

6.4.2　从冲淤效率看上下段河道冲淤关系

冲淤效率为单位水流流量所相应的冲淤量，其计算公式也可以从式(2-9)两边同除以流量得到

$$\frac{\Delta Q_s}{Q_0} = \left[1 - \exp\left(-\frac{\alpha\omega X}{q}\right)\right]\left[S_0 - \frac{Q_{s0*} - Q_{s*}}{Q_0}\frac{q}{\alpha\omega X}\right] - \left[1 - \frac{Q_{s0*}}{Q_{s*}}\exp\left(-\frac{\alpha\omega X}{q}\right)\right]KQ_0^{\alpha-1}S_0^{\beta} \tag{6-17}$$

该式表明，冲淤效率主要与河段进口含沙量有关，其他项 $\left[\text{如}\dfrac{Q_{s0*} - Q_{s*}}{Q_0}、\dfrac{q}{\alpha\omega X}、\dfrac{Q_{s0*}}{Q_{s*}}\right.$

$\left.\exp\left(-\dfrac{\alpha\omega X}{q}\right)\right]$ 为较高阶的小项，为分析方便可以略去不计。这样上式可以简化为

$$\frac{\Delta Q_s}{Q_0} \approx f_3(S_0 - \Delta S) - f_4 S_0^{\beta} \tag{6-18}$$

其中：

$$f_3 = 1 - \exp(-M) \tag{6-19}$$

$$f_4 = \left[1 - \frac{Q_{s0*}}{Q_{s*}} \exp\left(- \frac{\alpha \omega X}{q} \right) \right] K Q_0^{a-1} \tag{6-20}$$

$$\Delta S = \frac{K_0 Q^{m_0-1} - K Q^{m-1}}{M} \tag{6-21}$$

式(6-18)表明,冲淤效率与含沙量的关系实际上是一个多项式,多项式次数较高时可能会拟合较好。

图 6-26 和图 6-27 分别为三利段和三高段的冲淤效率与三黑小含沙量的统计关系,统计分析证实了上面的分析是正确的。多项式的项数越多,相关系数越高,线性相关时最低,分别为 0.93 和 0.94;而用 6 次多项式拟合时都能达到 0.95。为了方便和实用,仍然用线性关系来描述冲淤效率与含沙量的关系。

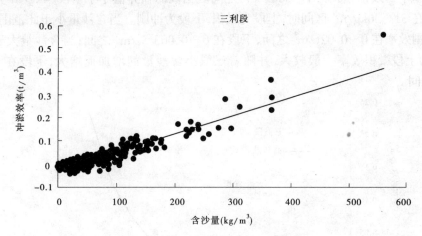

图 6-26 三门峡—利津河段冲淤效率与三黑小含沙量关系

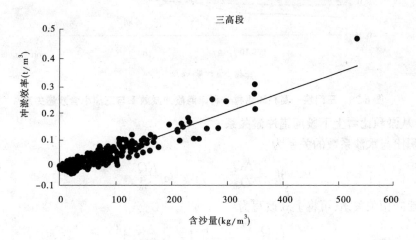

图 6-27 三门峡—高村河段冲淤效率与三黑小含沙量关系

三门峡—利津河段的冲淤效率为

$$\frac{\Delta Q_{s全}}{Q_0} = 0.000\,8 S_0 - 0.025\,4 \tag{6-22}$$

三门峡—高村河段的冲淤效率为

$$\frac{\Delta Q_{s\perp}}{Q_0} = 0.000\ 7S_0 - 0.021\ 8 \tag{6-23}$$

这样,下段的冲淤效率为

$$\frac{\Delta Q_{s\mathrm{下}}}{Q_0} = \frac{\Delta Q_{s\mathrm{全}}}{Q_0} - \frac{\Delta Q_{s\perp}}{Q_0} = 0.000\ 1S_0 - 0.003\ 6 \tag{6-24}$$

图 6-28 绘制了上段和下段冲淤效率与三黑小含沙量的统计关系曲线,从中可以看出:①不管是上段还是下段,淤积效率都与进口含沙量成线性关系;三黑小含沙量越小,冲刷效率越大,三黑小含沙量越大,淤积效率越大。②上段和下段淤积效率为 0 的临界含沙量数值基本一致,一般在 31~36kg/m³ 之间。上段的临界值小于下段(4kg/m³),说明当含沙量在 31~36kg/m³ 区间时,上段为淤积,下段为冲刷。当含沙量小于此范围下限时,上段冲刷效率在 0~0.02t/m³ 之间,下段在 0~0.003 5t/m³ 之间;当含沙量大于此范围上限时,上段淤积效率一般较大,并随着三黑小含沙量的增加而增大,下段在 0~0.05 t/m³ 之间。

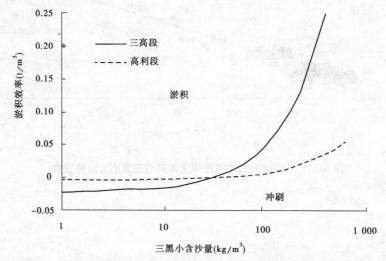

图 6-28　三门峡—高村和高村—利津河段冲淤效率与三黑小含沙量关系

6.4.3　从淤积比看上下段河道冲淤关系

淤积比与水沙系数的关系为

$$\eta_s = \frac{\Delta Q_s}{Q_{s0}} = f_1 - f_2 \frac{KQ^{\alpha-1}}{S_0^{1-\beta}} \tag{6-25}$$

为便于建立相关关系,可将上式改写为

$$\left(\frac{Q}{S_0^{\frac{1-\beta}{\alpha-1}}}\right)^n = \frac{1}{Kf_2}\left(f_1 - \frac{\Delta Q_s}{Q_{s0}}\right) \tag{6-26}$$

根据 1960~1999 年汛期洪水资料分别建立了三利段和三高段水沙系数 $\dfrac{Q}{S_0^{\frac{1-\beta}{\alpha-1}}}$ 与淤积

比$\dfrac{\Delta Q_s}{Q_{s0}}$的关系如图 6-29 和图 6-30 所示,相关系数分别为 0.94 和 0.96,高于冲淤效率与

含沙量单一关系的相关系数。三利段的关系为

$$\left(\frac{Q}{S_0^{0.8}}\right)^{0.9} = 107.23 - 40.721\left(\frac{\Delta Q_s}{Q_{s0}}\right)_{三利} \tag{6-27}$$

三高段的关系为

$$\left(\frac{Q}{S_0^{0.8}}\right)^{0.9} = 101.80 - 48.795\left(\frac{\Delta Q_s}{Q_{s0}}\right)_{三高} \tag{6-28}$$

由此可以得到三利段的淤积比为

$$\left(\frac{\Delta Q_s}{Q_{s0}}\right)_{三利} = 2.63 - \frac{1}{41}\left(\frac{Q}{S_0^{0.8}}\right)^{0.9} \tag{6-29}$$

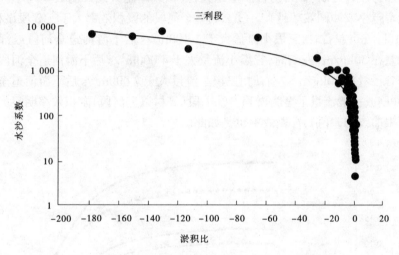

图 6-29　三门峡—利津河段淤积比与水沙系数关系

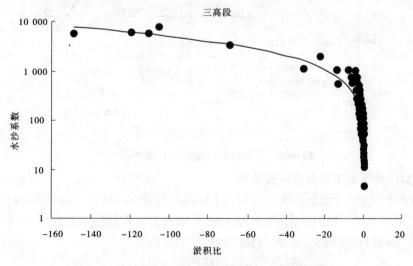

图 6-30　三门峡—高村河段淤积比与水沙系数关系

三高段的淤积比为

$$\left(\frac{\Delta Q_s}{Q_{s0}}\right)_{三高} = 2.09 - \frac{1}{49}\left(\frac{Q}{S_0^{0.8}}\right)^{0.9} \tag{6-30}$$

这样可以得到三利段的冲淤效率(以 t/m^3 计)为

$$\left(\frac{\Delta Q_s}{Q_{s0}}\right)_{三利} = \left[2.63 - \frac{1}{41}\left(\frac{Q}{S_0^{0.8}}\right)^{0.9}\right]\frac{S_0}{1\,000} \tag{6-31}$$

三高段的冲淤效率(以 t/m^3 计)为

$$\left(\frac{\Delta Q_s}{Q_{s0}}\right)_{三高} = \left[2.09 - \frac{1}{49}\left(\frac{Q}{S_0^{0.8}}\right)^{0.9}\right]\frac{S_0}{1\,000} \tag{6-32}$$

图 6-31 为三利段和三高段小、中、大含沙量(分别为 10、50、100kg/m³)情况下冲淤效率与水沙系数的关系,可以看出:①含沙量越大,淤积效率越大或冲刷效率越小。②流量越大,淤积效率越小或冲刷效率越大。③三利整个河段的淤积效率大于三高段淤积效率。④含沙量在 10kg/m³ 左右时,三黑小流量大于 1 100m³/s 后下游河道全河段或部分河段为冲刷;含沙量在 50kg/m³ 左右时,三黑小流量大于 4 000m³/s 后下游河道全河段或部分河段为冲刷;含沙量在 10kg/m³ 左右时,三黑小流量大于 7 000m³/s 后下游河道全河段或部分河段为冲刷或一般流量下全为淤积。⑤上段(高村以上河段)淤积效率明显大于下段淤积效率(两根曲线的差值),冲刷效率也是如此。

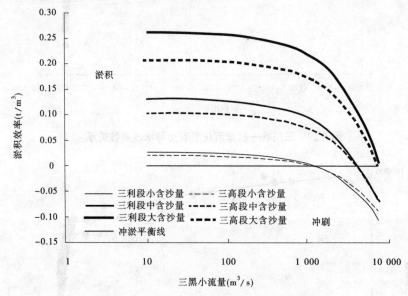

图 6-31　淤积效率与流量、含沙量关系

6.4.4　从排沙比看上下段河道冲淤关系

利用 1960～1999 年汛期洪水资料建立了铁高段(铁谢—高村)、高利段(高村—利津)排沙比与三黑小水沙系数的关系(图 6-32 和图 6-33),相关系数分别为 0.99 和 0.91。铁高段(铁谢—高村)和铁利段(铁谢—利津)的排沙比分别为

$$\lambda_{s铁高} = 0.020\,5\left(\frac{Q}{S}\right)^{0.85} + 0.148\,6 \tag{6-33}$$

$$\lambda_{s\text{铁利}} = 0.004\ 4\left(\frac{Q}{S^{0.8}}\right)^{1.06} + 0.008\ 8 \tag{6-34}$$

式中:Q 和 S 分别为三黑小的洪水平均流量和平均含沙量,洪水平均流量资料范围为 $851 \sim 6\ 531\text{m}^3/\text{s}$,平均含沙量资料范围为 $0 \sim 367\text{kg/m}^3$。

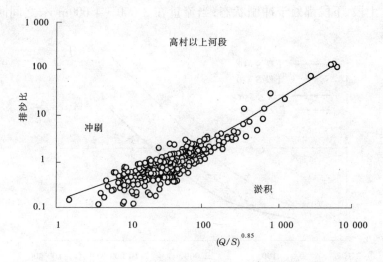

图 6-32 1960~1999 年汛期洪水上段排沙比与水沙系数关系

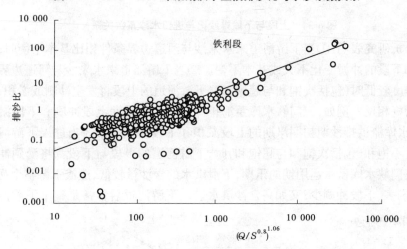

图 6-33 1960~1999 年汛期洪水铁利段排沙比与水沙系数关系

按照上下段排沙比的关系

$$\lambda_{s\text{铁利}} = \lambda_{s\text{铁高}}\lambda_{s\text{高利}} \tag{6-35}$$

可得到高利段的排沙比为

$$\lambda_{s\text{高利}} = \frac{0.004\ 4\left(\dfrac{Q}{S^{0.8}}\right)^{1.06} + 0.008\ 8}{0.020\ 5\left(\dfrac{Q}{S}\right)^{0.85} + 0.148\ 6} \tag{6-36}$$

这样上段与下段的排沙比与三黑小水沙系数的关系分别为式(6-33)和式(6-36)。

图 6-34 为两种含沙量情况下上下段排沙比与三黑小流量情况下的关系。①含沙量 10kg/m³ 情况：三黑小流量小于 800m³/s 时，上段、下段都为淤积状态；流量大于 2 000m³/s 时，上段、下段都处于冲刷状态；当流量在 800～2 000m³/s 之间时，上段冲刷、下段淤积。②含沙量 50kg/m³ 情况：三黑小流量小于 3 000m³/s 时，上段、下段都为淤积状态；流量大于 4 000m³/s 时，上段、下段都处于冲刷状态；当流量在 3 000～4 000m³/s 之间时，上段淤积，下段冲刷。

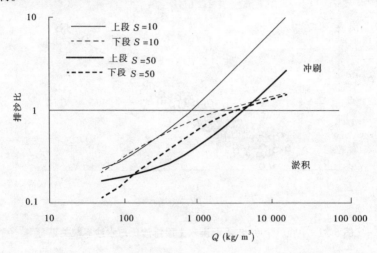

图 6-34　上段与下段排沙比与进口水沙系数关系

　　以上分析研究表明：①当下游河道来水来沙与河道边界条件相比基本平衡时，下游河道的上段和下段的冲淤变化不大或基本不变。②当下游河道来水来沙与河道边界条件相比不饱和程度较低时（包括次饱和与超饱和），下游河道的上段将发生冲刷或淤积；而下段则与上段刚好相反。例如，三门峡水库蓄清排浑期间的非汛期上段冲刷和下段淤积的关系，三门峡水库滞洪排沙期初期汛期的上段淤积和下段冲刷等。③当进入下游河道的水沙搭配严重不饱和（包括次饱和与超饱和）时，下游河道的上段与下段都将受到冲刷或淤积。例如三门峡水库蓄水运用期的汛期，下泄洪水的含沙量较低，造成下游整个河道的冲刷，上段冲刷多，下段冲刷少；又如高含沙洪水进入下游河道后常常是整个下游河道都处

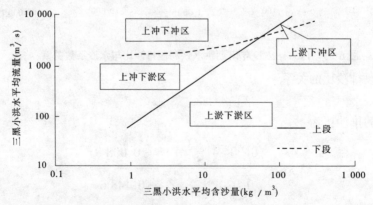

图 6-35　不同水沙搭配情况下上下段冲淤关系

于淤积状态,上段多淤,下段少淤。

图 6-35 为按照式(6-33)和式(6-36)绘制的上下段冲淤分区图,实线为上段冲淤平衡线,虚线为下段冲淤平衡线。当三黑小洪水平均流量和含沙量位于两线之间时分别会出现上冲下淤和上淤下冲;当三黑小洪水平均流量和含沙量位于两线之上时出现上冲下冲,两线之下时出现上淤下淤。当三黑小洪水平均流量为 $3\,200\text{m}^3/\text{s}$,相应的含沙量 $40\text{kg}/\text{m}^3$ 左右时上下段输沙都处于平衡区。

6.5 小结

(1)黄河下游上下段冲淤调整是水沙作用于边界、进而影响水沙搭配的结果,边界的影响不仅包括纵剖面的影响、横断面的影响,而且还有非均匀河槽的影响。

(2)①三门峡水库下泄清水期间,下段与上段河道的冲淤定性上一致,定量上呈现出亦步亦趋的态势,上段多冲刷,下段少冲刷。三门峡水库滞洪排沙期,从整体上看,上下段出现了全面淤积;1970 年以前上下段冲淤为互补关系,即上冲下淤或上淤下冲或上多淤下少淤或上少淤下多淤;1970 年以后上下段冲淤基本一致。②当下游河道前期累积冲刷影响较大时,下游河道会出现上淤下冲的局面;当前期累积淤积影响较大时,下游河道会出现上冲下淤的局面。③三门峡水库蓄清排浑期既不一致,也不互补。可按照下面的水沙关系进行判断。

(3)上下段的冲淤调整关系可以按照式(6-33)和式(6-36)或图 6-35 所代表的关系进行判断。①当来水来沙搭配基本均衡时,上下段冲淤平衡或微冲微淤。②当水沙搭配的不饱和程度较低时,下游河道的上段将发生冲刷或淤积;而下段则往往与上段刚好相反。③当水沙搭配严重不饱和时,下游河道的上段与下段都将受到冲刷或淤积。④按照三黑小水沙搭配情况可将上下段冲淤关系分成四个区:上冲下淤、上淤下冲、上下皆冲和上下皆淤。

本章从水沙搭配的角度探讨了上下段的冲淤关系,实际上洪水的其他特征(如洪水演进、洪峰变幅等)、河道边界条件(如河槽形态、前期冲淤等)对上下河段冲淤关系也起着重要的作用。

参 考 文 献

[1] 韩其为.黄河下游输沙及冲淤的若干规律.泥沙研究,2004(3)

[2] 梁志勇,等.黄河下游断面形态与水沙关系及其数学模拟方法.地理研究,1993(2)

[3] 刘月兰.黄河下游艾山以上河道调沙特性分析.见:河南省首届泥沙研究讨论会论文集.郑州:黄河水利出版社,1995

[4] 牛占,等.1977~1996 年黄河下游水文断面反映的河床演变.泥沙研究,2000(3)

[5] 齐璞,等.黄河高含沙水流运动规律及应用前景.北京:科学出版社,1993

[6] 尹学良.黄河下游的河性.北京:水利电力出版社,1992

[7] 赵业安,周文浩,等.黄河下游河床演变基本规律.郑州:黄河水利出版社,1997

第七章　黄河下游各河段冲淤阈值

黄河下游河道是一条"地上悬河",是水流挟带泥沙长期冲淤变化的结果。洪水挟带大量泥沙进入下游河道,不仅会冲刷下游河道,也会淤积下游河道。如果我们知道什么样的洪水能够冲刷下游河道、什么样的洪水能够使下游河道淤积,了解下游各个河段之间冲淤调整的关系,并能够通过水库的联合调度运用施放所需要水沙搭配或水沙组合的洪水,那么就有了减少或控制黄河下游河道泥沙淤积的办法,这将有利于黄河下游河道的防洪减灾。

什么样的洪水会使下游河道冲刷,什么样的洪水会使下游河道淤积,什么样水沙搭配的洪水在什么样的边界条件下能够使下游河道淤积总量较少,且淤积的沿程分布又比较合理呢?本章在总结以往研究的基础上,根据从非饱和输沙理论导出的排沙比与水沙系数的关系,利用黄河下游河道40年的洪水资料进行统计分析,加入排沙比的其他影响因素,建立黄河下游4个河段排沙比与综合水沙系数(除流量与含沙量构成的水沙系数外又引入了洪峰流量变幅、衰减系数和洪水持续时间等)的关系,得到4个河段泥沙冲淤阈值条件,勾画出下游4个河段冲刷与淤积变化与来水来沙搭配的关系。

7.1　汛期不同水沙组合各河段冲淤特性

本节按含沙量的多寡,依次分析含沙量 $20\sim80kg/m^3$ 的中等含沙非漫滩洪水、$80kg/m^3$ 以上的较高含沙非漫滩洪水、$300kg/m^3$ 以上的非漫滩洪水以及漫滩洪水各河段的冲淤特性。

7.1.1　中等含沙洪水

按照黄河水利委员会勘测规划设计研究院在小浪底水库初期运用时的研究方法,仍将含沙量在 $20\sim80kg/m^3$ 之间的非漫滩洪水作为中等含沙洪水。1960年9月~1999年10月此类洪水共发生201场,平均每年5.2场,占全部场次洪水的47.6%,发生频度较高。此类洪水三黑小水量3 511亿 m^3,沙量130亿t,201场洪水的平均流量2 410m^3/s,平均含沙量37.0kg/m^3,三利段共冲刷泥沙1.839亿t,其中三花段淤积2.924亿t,花高段淤积2.531亿t,高艾段冲刷2.235亿t,艾利段冲刷5.059亿t,详细情况如表7-1所示。

表7-1　黄河下游汛期中等含沙洪水来水来沙与冲淤特征

站名	三黑小	花园口	高村	艾山	利津
含沙量为 $20\sim30kg/m^3$,场次为71场,天数为641d,洪水平均持续时间为9.0d,洪峰变幅为1.24					
洪水平均流量(m^3/s)	2 446	2 532	2 422	2 437	2 328
洪水平均含沙量(kg/m^3)	25	25	27	26	27
至下站的流量衰减系数	1.035	0.957	1.006	0.955	
至下站的淤积量(亿t)	-5.124	-1.841	-0.886	-2.291	
至下站的淤积率(亿t/d)	-0.008	-0.001	0	-0.001	
至下站的排沙比	1.154	1.011	1.006	1.017	

站名	三黑小	花园口	高村	艾山	利津
含沙量为 30～40kg/m³,场次为 52 场,天数为 433d,洪水平均持续时间为 8.3d,洪峰变幅为 1.25					
洪水平均流量(m³/s)	2 324	2 413	2 306	2 283	2 162
洪水平均含沙量(kg/m³)	34	30	30	30	31
至下站的流量衰减系数	1.038	0.956	0.990	0.947	
至下站的淤积量(亿 t)	2.072	−1.128	−0.741	−0.758	
至下站的淤积率(亿 t/d)	0.005	−0.003	−0.002	−0.002	
至下站的排沙比	0.930	1.042	1.029	1.030	
含沙量为 40～50kg/m³,场次为 29 场,天数为 240d,洪水平均持续时间为 8.3d,洪峰变幅为 1.38					
洪水平均流量(m³/s)	2 124	2 210	2 109	2 072	1 989
洪水平均含沙量(kg/m³)	45	42	38	39	39
至下站的流量衰减系数	1.041	0.954	0.982	0.960	
至下站的淤积量(亿 t)	0	1.528	−0.081	−0.672	
至下站的淤积率(亿 t/d)	0	0.006	0.000	−0.003	
至下站的排沙比	1.000	0.920	1.005	1.041	
含沙量为 50～60kg/m³,场次为 24 场,天数为 185d,洪水平均持续时间为 7.7d,洪峰变幅为 1.39					
洪水平均流量(m³/s)	2 186	2 254	2 112	2 133	2 049
洪水平均含沙量(kg/m³)	54	46	40	39	42
至下站的流量衰减系数	1.031	0.937	1.010	0.961	
至下站的淤积量(亿 t)	1.229	2.328	−0.351	−0.883	
至下站的淤积率(亿 t/d)	0.007	0.013	−0.002	−0.005	
至下站的排沙比	0.935	0.861	1.026	1.066	
含沙量为 60～70kg/m³,场次为 11 场,天数为 84d,洪水平均持续时间为 7.6d,洪峰变幅为 1.39					
洪水平均流量(m³/s)	2 026	2 050	1 942	1 836	1 695
洪水平均含沙量(kg/m³)	66	48	43	43	48
至下站的流量衰减系数	1.012	0.947	0.946	0.923	
至下站的淤积量(亿 t)	2.412	0.880	0.063	−0.270	
至下站的淤积率(亿 t/d)	0.029	0.010	0.001	−0.003	
至下站的排沙比	0.750	0.876	0.990	1.047	
含沙量为 70～80kg/m³,场次为 14 场,天数为 103d,洪水平均持续时间为 7.4d,洪峰变幅为 1.42					
洪水平均流量(m³/s)	1 996	2 041	1 878	1 835	1 655
洪水平均含沙量(kg/m³)	75	55	50	49	51
至下站的流量衰减系数	1.022	0.920	0.977	0.902	
至下站的淤积量(亿 t)	2.335	0.764	−0.239	−0.185	
至下站的淤积率(亿 t/d)	0.023	0.007	−0.002	−0.002	
至下站的排沙比	0.825	0.923	1.029	1.023	
含沙量为 20～80kg/m³,场次为 201 场,天数为 1 686d					
至下站的淤积量(亿 t)	2.924	2.531	−2.235	−5.059	

从表 7-1 可以看出:①总的来看,中等含沙非漫滩洪水是上段(高村以上)淤积,下段(高村—利津)冲刷,其中艾利段冲刷量较大,几乎等于上段的淤积量。②分含沙量级看,含沙量 20~30kg/m³ 时,三利段都表现为冲刷,其中三花段、艾利段冲刷较大,另外两个河段冲刷较小;含沙量 30~40kg/m³ 时,三花段淤积,花利段冲刷;含沙量 40~60kg/m³、70~80kg/m³ 时,上段淤积,下段冲刷;含沙量 60~70kg/m³ 时,三艾段淤积,艾利段冲刷。即,随着含沙量的增大,三花段、花高段从上而下冲刷依次转变为淤积;高艾段除含沙量 60~70kg/m³ 时淤积外其他均为冲刷,艾利段总是冲刷。③洪水的水沙特征之间有一定对应关系。洪水历时(持续时间)、洪峰变幅、流量、含沙量四者之间有明显的对应关系,随着含沙量级别的增加,洪水平均持续时间缩短,洪峰变幅加大,流量减小,如图 7-1 所示。这表明,黄河下游历时较长的洪水,往往其洪峰变幅较小、洪水流量较大而含沙量较小,为"相对清水"(含沙量小,流量大)洪水;黄河下游历时较短的洪水,往往其洪峰变幅较大的洪水(陡涨急落)流量较小,含沙量较大,为"相对浑水"(含沙量大,流量小)洪水。④各个河段的冲淤特征与上述洪水特征对应,即"相对清水"冲刷,"相对浑水"淤积。从图 7-2~图7-3 排沙比与水沙特征关系中可以更清楚地看到这种冲淤特征,排沙比与进口流量成正比例线性关系,与含沙量成反比例线性关系。

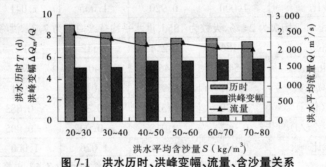

图 7-1　洪水历时、洪峰变幅、流量、含沙量关系

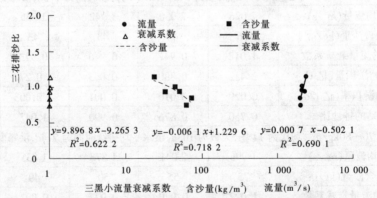

图 7-2　三花段排沙比与三黑小流量、含沙量以及三花段流量衰减系数的关系

(图中 R 为相关系数,后同)

顺便指出,三花段排沙比相关关系较好可能与三花段冲淤数量大、测验误差相对较小有关,而艾利段排沙比关系较差则可能与该段冲淤数量小、测验误差相对较大有关。后文还将指出,全沙排沙比与有关因素的相关关系好于分组泥沙的,其原因与此相似,即全沙测验误差相对较小,而分组泥沙的测验误差则相对较大。

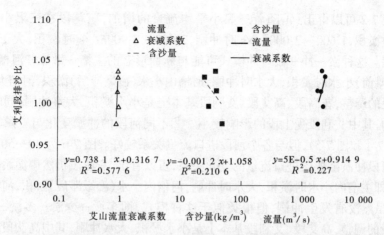

图 7-3 艾利段排沙比与艾山流量、含沙量以及三花段流量衰减系数的关系

为了分析同一含沙量级不同流量时的冲淤情况,首先在同一含沙量级内按流量大小进行排序,然后按照流量从小到大进行分组(大约每5场洪水为一组),其冲淤情况举例如表7-2所示。

表 7-2　三黑小含沙量 30～40kg/m³ 洪水分流量级来水来沙与冲淤特征

项目	序号	1	2	3	4	5	6	7	8	9	10	11
洪水场次		5	5	5	5	5	5	5	5	4	4	4
流量 (m³/s)	三黑小	1 178	1 357	1 577	1 718	1 875	2 192	2 594	2 917	3 166	3 465	4 326
	花园口	1 117	1 461	1 703	1 777	1 841	2 313	2 597	3 063	3 502	3 561	4 460
	高村	1 012	1 427	1 635	1 585	1 774	2 174	2 451	2 929	3 254	3 482	4 511
	艾山	946	1 542	1 483	1 650	1 840	2 139	2 415	2 826	3 322	3 316	4 483
	利津	863	1 518	1 340	1 580	1 676	2 009	2 389	2 627	3 035	3 189	4 385
	三黑小 最大	1 391	1 787	1 988	2 227	2 841	2 872	3 185	3 625	3 980	4 278	4 689
洪水平均 历时(d)		5	7	8	8	8	7	8	11	9	11	9
含沙量 (kg/m³)	三黑小	34	34	36	36	32	33	34	33	33	34	34
	花园口	19	30	32	45	38	21	30	27	28	24	33
	高村	18	27	31	36	39	22	31	30	36	25	36
	艾山	16	29	30	33	39	24	27	28	36	29	38
	利津	14	29	29	33	44	25	29	30	40	30	39
淤积量 (亿 t)	三花段	0.088	0.029	0.023	−0.160	−0.071	0.123	0.073	0.120	0.047	0.305	−0.115
	花高段	−0.006	0.024	0.005	0.135	−0.032	0.013	−0.007	−0.064	−0.137	−0.027	−0.201
	高艾段	0.003	−0.036	0.012	0.025	−0.042	−0.027	0.056	0.017	−0.042	−0.125	−0.028
	艾利段	0	0.004	0.013	0.008	−0.029	−0.001	−0.057	−0.011	−0.073	0.013	−0.038
淤积率 (亿 t/d)	三花段	0.017	0.004	0.003	−0.019	−0.008	0.017	0.009	0.011	0.005	0.028	−0.012
	花高段	−0.001	0.003	0.001	0.016	−0.004	0.002	−0.001	−0.006	−0.015	−0.002	−0.022
	高艾段	0.001	−0.005	0.002	0.003	−0.005	−0.004	0.007	0.002	−0.005	−0.011	−0.003
	艾利段	0	0.001	0.002	0.001	−0.004	0	−0.007	−0.001	−0.008	0.001	−0.004
排沙比	三花段	0.516	0.902	0.939	1.360	1.161	0.738	0.881	0.868	0.942	0.730	1.099
	花高段	1.067	0.915	0.987	0.765	1.064	0.960	1.013	1.082	1.181	1.033	1.169
	高艾段	0.963	1.144	0.963	0.939	1.085	1.088	0.893	0.980	1.047	1.151	1.021
	艾利段	1.000	0.985	0.957	0.980	1.057	1.004	1.127	1.014	1.079	0.986	1.028

分析表 7-2 可以得出：①随着三黑小平均流量的增加，三花段在三黑小流量 1 600 m³/s 以下时淤积，1 600～2 000m³/s 时冲刷，2 000～3 900m³/s 时淤积，大于 3 900m³/s 以上时冲刷。这种淤—冲—淤—冲模式可能与断面形态的主槽—嫩滩—河槽有关，即主槽内(漫嫩滩前)小水时淤积，大水时冲刷，河槽内小水(漫嫩滩后)淤积，河槽大水时冲刷。经过三花段的调整，花高段、高艾段、艾利段基本上是小水淤积，大水冲刷，同时还受到上河段的影响，其中艾利段受上段的影响较小。②不同河段的冲淤变化与三黑小流量的关系较差(图 7-4 和图 7-5)，但与各个河段进口流量关系较好。图 7-6 为 40～50kg/m³ 含沙量级不同河段冲淤随各段进口流量的变化关系，可以看出，三花段仍然遵循淤—冲—淤—冲的模式，即主槽内小水时淤积，大水时冲刷，河槽内小水(漫嫩滩后)淤积，河槽大水时冲刷；花高段虽然没有发生冲刷，但很类似于这种模式，即多淤—少淤—多淤—少淤模式。经过三高段的调整，高艾段、艾利段基本上是小水淤积，大水冲刷，其中高艾段的大水淤积可能与大水漫滩有关。

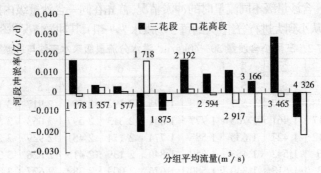

图 7-4 高村以上河段淤积率随三黑小流量的变化

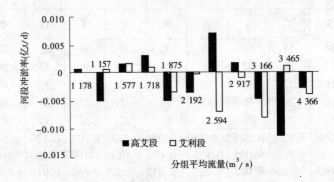

图 7-5 高村以下河段淤积率随三黑小流量的变化

7.1.2 较高含沙洪水

较高含沙量洪水是指三黑小平均含沙量在 80kg/m³ 以上，但洪水过程中最大日平均含沙量小于 300kg/m³ 的非漫滩洪水。1960 年 9 月 15 日～1999 年 10 月底这类洪水共发生 51 次，平均每年 1.3 次，来水量 734.7 亿 m³，来沙量 79.16 亿 t，大约分别占 39 年统计总水沙量的 10% 和 23%，平均含沙量 108kg/m³，为 39 年洪水统计平均含沙量的 2.3 倍，洪水历时 367d，约占统计天数的 11%。三门峡—利津共淤积泥沙 29.422 亿 t，其中三花段淤积 14.667 亿 t，花高段淤积 14.194 亿 t，高艾段淤积 0.881 亿 t，艾利段冲刷 0.320

亿 t,详细情况如表 7-3 所示。

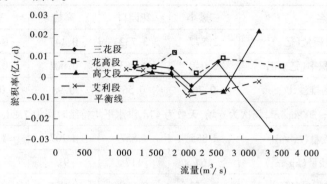

图 7-6　各段淤积率随各段进口流量的变化

表 7-3　黄河下游汛期较高含沙洪水来水来沙与冲淤特征

站名	三黑小	花园口	高村	艾山	利津
含沙量为 80～90kg/m³,场次为 15 场,天数为 115d,洪水平均持续时间为 7.7d,洪峰变幅为 1.45					
洪水平均流量(m³/s)	2 436	2 476	2 357	2 305	1 695
洪水平均含沙量(kg/m³)	85	69	55	56	52
至下站的淤积量(亿 t)	3.15	3.513	−0.668	−0.489	
至下站的淤积率(亿 t/d)	0.027	0.031	−0.006	−0.004	
至下站的排沙比	0.85	0.79	1.03	1.02	
含沙量为 90～100kg/m³,场次为 6 场,天数为 40d,洪水平均持续时间为 6.7d,洪峰变幅为 1.59					
洪水平均流量(m³/s)	1 907	1 949	1 705	1 616	1 525
洪水平均含沙量(kg/m³)	147	95	66	50	51
至下站的淤积量(亿 t)	1.744	1.449	−0.031	0.049	
至下站的淤积率(亿 t/d)	0.044	0.036	−0.001	0.001	
至下站的排沙比	0.82	0.77	1.01	0.99	
含沙量为 100～120kg/m³,场次为 15 场,天数为 106d,洪水平均持续时间为 7.1d,洪峰变幅为 1.53					
洪水平均流量(m³/s)	2 280	2 314	2 145	2 140	2 028
洪水平均含沙量(kg/m³)	110	80	68	62	62
至下站的淤积量(亿 t)	3.244	3.411	1.052	−0.499	
至下站的淤积率(亿 t/d)	0.031	0.032	0.010	−0.005	
至下站的排沙比	0.86	0.80	0.92	1.04	
含沙量为 120～150kg/m³,场次为 9 场,天数为 59d,洪水平均持续时间为 6.6d,洪峰变幅为 1.46					
洪水平均流量(m³/s)	1 752	1 864	1 560	1 631	1 362
洪水平均含沙量(kg/m³)	133	89	60	55	51

站名	三黑小	花园口	高村	艾山	利津
至下站的淤积量(亿 t)	2.877	3.732	0.147	0.563	
至下站的淤积率(亿 t/d)	0.049	0.063	0.002	0.010	
至下站的排沙比	0.76	0.56	0.98	0.87	
含沙量为 150~300kg/m³,场次为 6 场,天数为 47d,洪水平均持续时间为 7.8d,洪峰变幅为 1.53					
洪水平均流量(m³/s)	1 865	1 857	1 707	1 763	1 677
洪水平均含沙量(kg/m³)	164	117	91	79	79
至下站的淤积量(亿 t)	3.652	2.089	0.381	0.056	
至下站的淤积率(亿 t/d)	0.078	0.044	0.008	0.001	
至下站的排沙比	0.70	0.77	0.94	0.99	
含沙量为 80~300kg/m³,场次为 51 场,天数为 364d					
至下站的淤积量(亿 t)	14.667	14.194	0.881	−0.32	

从表 7-3 可以看出,这类洪水有如下特点:①由于来水含沙量较大,下游淤积量大、淤积严重。四个河段中只有艾利段微冲,其他三个河段均为淤积。②各个河段的淤积率都与各段进口含沙量成一定的正比例关系(见图 7-7),三花段关系最好,花高段和高艾段较差,艾利段最差,几乎没有什么关系。高村以上两个河段淤积数量大且接近,淤积率在0.02 亿~0.08 亿 t/d 之间,同样进口含沙量时花高段淤积数量较大;高村以下两个河段高艾段微淤,淤积率在 0~0.01 亿 t/d 之间,艾利段微冲或冲淤基本平衡。③各个河段的排沙比与各段进口含沙量成一定的比例关系(见图 7-8),高村以上两个河段排沙比小且接近,排沙比在 0.5~0.9 之间,同样进口含沙量时三花段排沙比普遍大于花高段的排沙比;高村以下两个河段高艾段微淤,排沙比在 0.9~1 之间,艾利段排沙比在 1 左右。

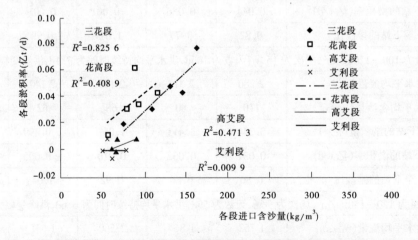

图 7-7 各段淤积率与各段进口含沙量的相关关系

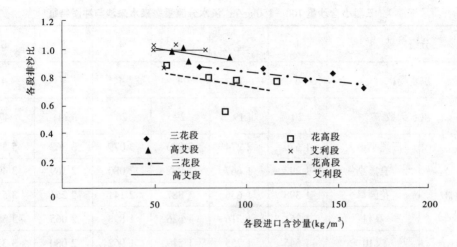

图 7-8　各段排沙比与各段进口含沙量的关系

表 7-4 进一步统计了 $100\sim150kg/m^3$ 含沙量级各流量级(按照三黑小流量排序,每 4 场洪水为一级)的水沙特征及冲淤情况,可以看出,随着来水流量的增大,下游河道三利段排沙比总的趋势是逐渐增大的。从图 7-9 各段排沙比与各段进口流量的相关关系可以更加明显地看出,三花段排沙比随着流量的增加呈增加趋势,相关系数较高;花高段和高艾段较差;艾利段介于二者之间。三高段排沙比小且接近,排沙比都在 0.5~1 之间;高利段排沙比较高,高艾段排沙比在 0.9~1 之间;艾利段排沙比在 0.7~1.1 之间。

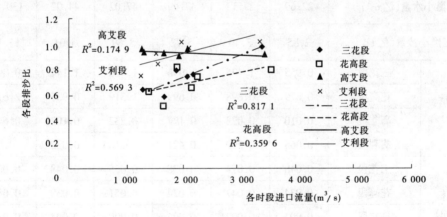

图 7-9　各段排沙比与各段进口流量的关系

7.1.3　高含沙洪水

高含沙洪水是指洪水过程中三黑小最大日平均含沙量大于 $300kg/m^3$ 的非漫滩洪水。1960 年 9 月 15 日~1999 年 10 月底这类洪水共发生 25 次,平均每 1.5 年 1 次,近年来有增加趋势。总来水量 350 亿 m^3,来沙量 76.32 亿 t,分别占统计洪水期间总来水量、来沙量的 4.6% 和 21.7%,平均含沙量 230kg/m³,洪水历时 167d,占所统计洪水历时的 4.8%。三门峡至利津共淤积泥沙 46.46 亿 t,其中三花段淤积 17.27 亿 t,花高段淤积 25.01 亿 t,高艾段淤积 3.55 亿 t,艾利段淤积 0.64 亿 t,详细情况如表 7-5 所示。

表 7-4　三黑小含沙量 100～150kg/m³ 洪水分流量级来水来沙与冲淤特征

	分组序号	1	2	3	4	5	6
	洪水场次	4	4	4	4	4	4
	洪水天数	20	19	29	26	24	47
流量 (m³/s)	三黑小最大	1 679	2 274	3 083	3 079	3 362	5 306
	三黑小	1 292	1 667	1 882	2 080	2 169	3 401
	花园口	1 398	1 656	1 887	2 141	2 251	3 537
	高村	1 261	1 316	1 626	1 898	2 065	3 388
	艾山	1 545	1 255	1 519	1 962	2 080	3 332
	利津	1 384	906	1 279	1 853	1 928	3 318
含沙量 (kg/m³)	三黑小	123	123	120	123	112	110
	花园口	76	68	91	83	82	99
	高村	55	45	83	61	66	81
	艾山	45	41	78	52	62	79
	利津	41	33	74	57	64	80
三黑小水量(亿 m³)		22.69	27.13	47.49	47.02	44.92	139.46
三黑小沙量(亿 t)		2.85	3.40	5.72	5.69	5.01	15.11
淤积量 (亿 t)	三花段	0.955	1.405	1.096	1.426	1.144	0.095
	花高段	0.679	0.898	0.699	1.319	0.935	2.613
	高艾段	0.010	0.033	0.177	0.232	0.102	0.645
	艾利段	0.065	0.200	0.421	-0.105	0.022	-0.539
淤积率 (亿 t/d)	三花段	0.048	0.074	0.038	0.055	0.048	0.002
	花高段	0.034	0.047	0.024	0.051	0.039	0.056
	高艾段	0.001	0.002	0.006	0.009	0.004	0.014
	艾利段	0.003	0.011	0.015	-0.004	0.001	-0.011
排沙比	三花段	0.65	0.58	0.81	0.75	0.77	0.99
	花高段	0.63	0.52	0.84	0.67	0.76	0.82
	高艾段	0.99	0.97	0.95	0.91	0.96	0.94
	艾利段	0.95	0.77	0.86	1.05	0.99	1.05
	三利段	0.35	0.18	0.48	0.45	0.50	0.78

表 7-5　黄河下游汛期高含沙洪水来水来沙与冲淤特征

洪水平均历时(d)		5.5	7.0	8.3	4.8	6.5	9.8
流量 (m³/s)	三黑小最大	2 024	2 848	3 458	3 261	4 321	6 451
	三黑小	1 455	1 810	2 073	2 256	2 707	3 572
	花园口	1 552	1 825	2 012	2 179	2 589	3 783
	高村	1 269	1 642	1 666	2 122	2 315	3 652
	艾山	1 185	1 612	1 513	2 385	2 463	3 433
	利津	932	1 502	1 310	2 290	2 313	3 199
含沙量 (kg/m³)	三黑小	262	165	213	250	254	239
	花园口	119	139	125	190	188	219
	高村	65	91	76	113	97	140
	艾山	58	78	66	85	81	134
	利津	56	75	54	90	78	138
三黑小水量(亿 m³)		7.09	10.98	14.79	9.34	15.08	30.14
三黑小沙量(亿 t)		1.83	1.66	2.90	2.22	3.65	6.83
淤积量 (亿 t)	三花段	0.848	0.261	1.237	0.598	0.892	0.245
	花高段	0.505	0.522	0.728	0.575	1.467	2.434
	高艾段	0.048	0.103	0.146	0.127	0.086	0.342
	艾利段	0.015	0.033	0.083	−0.017	0.033	0.002
排沙比	三花段	0.53	0.83	0.57	0.72	0.75	0.96
	花高段	0.46	0.59	0.54	0.60	0.45	0.61
	高艾段	0.88	0.86	0.83	0.85	0.92	0.90
	艾利段	0.95	0.93	0.88	1.00	0.95	0.99

从表 7-5 统计的高含沙洪水各流量级(按照三黑小流量排序,约每 4 场洪水为一级)的水沙特征及冲淤情况,可以看出,随着来水流量的增大,下游河道三利段排沙比总的趋势是逐渐增大的。从图 7-10 各段排沙比与各段进口流量的相关关系可以更加明显地看出,各段排沙比随着流量的增加都呈增加趋势,花高段排沙比最小,在 0.4~0.6 之间;艾利段排沙比最大,在 0.9~1 之间;三花段、高艾段排沙比介于二者之间,即 0.5~1 之间。

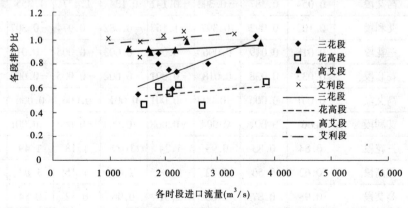

图 7-10　各段排沙比与各段进口流量的关系

7.1.4 漫滩洪水

漫滩洪水是指洪水过程中三利段部分或整个河段发生漫滩的洪水。1960 年 9 月 15 日～1999 年 10 月底这类洪水共发生 28 次,平均每 1.4 年一次。漫滩洪水总来水量 997 亿 m³,来沙量 47 亿 t,分别占统计洪水期间总来水量、来沙量的 13.2% 和 13.4%,平均含沙量 47kg/m³,洪水历时 267d,占所统计洪水历时的 7.7%。三门峡至利津共淤积泥沙 2.546 亿 t,其中三花段冲刷 2.195 亿 t,花高段淤积 5.11 亿 t,高艾段淤积 2.864 亿 t,艾利段冲刷 3.233 亿 t,详细情况如表 7-6 所示。

表 7-6 黄河下游汛期漫滩洪水来水来沙与冲淤特征

洪水序号		1	2	3	4	5	6	7	合计或平均
洪水平均历时(d)		39	23	34	42	41	48	40	267
流量 (m³/s)	三黑小最大	4 603	5 099	5 498	6 374	6 460	7 447	7 465	6 135
	三黑小	2 494	3 164	3 591	4 090	4 787	5 319	5 983	4 204
	花园口	2 612	3 248	3 736	4 374	5 031	6 092	6 236	4 475
	高村	2 269	3 080	3 460	4 069	4 695	5 849	6 252	4 239
	艾山	2 266	3 200	3 144	4 130	4 741	5 541	6 151	4 167
	利津	2 018	2 746	2 852	3 819	4 601	5 183	5 939	3 880
含沙量 (kg/m³)	三黑小最大	197	185	171	52	47	50	45	107
	三黑小	112	137	86	31	32	31	26	65
	花园口	90	109	79	36	33	31	37	59
	高村	64	64	60	39	37	37	38	48
	艾山	62	58	61	38	36	32	33	46
	利津	66	60	70	49	41	38	36	52
三黑小水量(亿 m³)		84.0	61.9	106.2	148.5	169.6	220.9	206.3	997.4
三黑小沙量(亿 t)		9.408	6.920	8.772	4.582	5.549	6.501	5.264	46.996
淤积量 (亿 t)	三花段	1.478	1.183	0.589	−1.142	−0.530	−1.196	−2.577	−2.195
	花高段	2.878	2.445	1.976	−0.080	−0.386	−1.236	−0.487	5.110
	高艾段	0.054	0.387	−0.302	−0.141	0.134	1.477	1.255	2.864
	艾利段	0.102	0.092	-0.397	−1.167	−0.582	−0.974	−0.307	−3.233
淤积 效率 (t/m³)	三花段	0.018	0.019	0.006	−0.008	−0.003	−0.005	−0.012	
	花高段	0.033	0.038	0.018	−0.001	−0.002	−0.005	−0.002	
	高艾段	0.001	0.006	−0.003	−0.001	0.001	0.006	0.006	
	艾利段	0.001	0.001	-0.004	−0.008	−0.004	−0.004	−0.001	
排沙比	三花段	0.84	0.83	0.93	1.24	1.09	1.18	1.49	1.04
	花高段	0.62	0.56	0.72	0.98	1.04	1.15	1.04	0.87
	高艾段	0.98	0.87	1.00	1.01	0.96	0.82	0.84	0.92
	艾利段	0.96	0.93	1.01	1.19	1.08	1.12	1.04	1.06

从表7-6统计的漫滩洪水各流量级(按照三黑小流量排序,每4场洪水为一级)的水沙特征及冲淤情况,可以看出,随着来水流量的增大,下游河道高艾段排沙比略有降低,其他河段的排沙比总的趋势是逐渐增大的。从图7-11各段排沙比与各段进口流量的相关关系可以更加明显地看出,高村以上河段排沙比增减幅度较大,高村以下河段排沙比变化幅度较小;花高段排沙比最小,在0.5~1.1之间;三花段、艾利段排沙比最大,在0.8~1.5之间,但艾利段排沙比变化范围较小,在0.9~1.2之间;高艾段排沙比变化不大,在0.8~1之间。

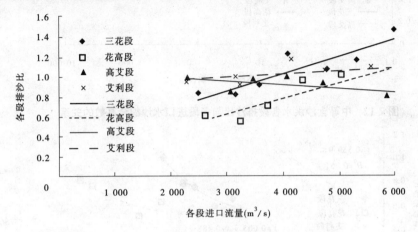

图7-11 各段排沙比与各段进口流量的关系

7.2 各河段冲淤阈值

7.2.1 排沙比关系

按照前文分析可知,排沙比与水沙系数的关系为

$$\lambda_s = \frac{Q_s}{Q_{s0}} = f'_1 \left(\frac{Q}{S^{\frac{1-\beta}{a\gamma-1}}} \right)^n + f_2 \tag{7-1}$$

中等含沙洪水、较高含沙洪水和漫滩洪水的排沙比关系分别如图7-12、图7-13和图7-14所示,其中都考虑了来水来沙条件的影响,用水沙系数$\frac{Q}{S^{\frac{1-\beta}{a\gamma-1}}}$、洪水历时$T$、洪峰流量与平均流量之比$\frac{Q_{max}}{Q}$、流量衰减系数来代表水沙条件,这样可将上式修正为

$$\left(\frac{Q}{S^{\frac{1-\beta}{a\gamma-1}}} \right)^n (1 + \ln T)^a \left(\frac{Q_{max}}{Q} \right)^b \left(\frac{Q_{出}}{Q_{进}} \right)^c = \frac{1}{Kf_2} \left(f_1 - \frac{\Delta Q_s}{Q_s} \right) \tag{7-2}$$

式中:Q 和S 分别为三黑小洪水平均流量和含沙量;Q_{max}为三黑小洪水日均最大流量;$Q_{进}$ 和$Q_{出}$ 分别为相应河段的进出口流量;$\frac{\Delta Q_s}{Q_s}$为河段的淤积比;n、a、b、c、f_1 和 f_2 分别为指数或系数(为方便起见,称上式左端项为水沙综合系数)。

7.2.2 冲淤阈值的水沙表述

根据上节和本节分析的不同洪水的冲淤特点和排沙比与水沙条件关系,可以得到中等含沙洪水不同河段的冲淤临界水沙条件如图7-15所示,较高含沙洪水和高含沙洪水绝

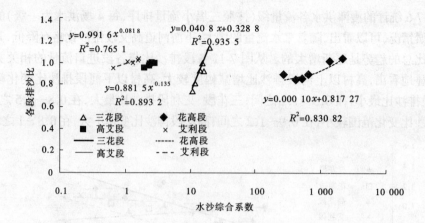

图 7-12 中等含沙洪水各段排沙比与各段进口水沙综合系数的关系

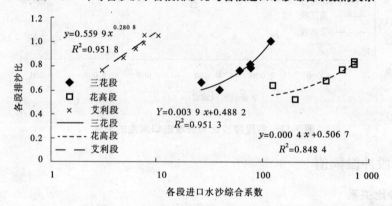

图 7-13 较高含沙洪水各段排沙比与各段进口水沙综合系数的关系

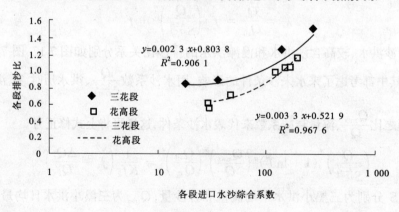

图 7-14 漫滩洪水各段排沙比与各段进口水沙综合系数的关系

大部分为淤积状态,漫滩洪水的冲淤临界水沙关系如图 7-16 所示。

从图 7-15 可以看出:①各段冲淤临界流量与含沙量呈正相关,含沙量越大,冲淤临界流量也越大。②三花段、花高段冲淤临界流量变化幅度较大,在 700~4 000m³/s 之间;高艾段、艾利段冲淤临界流量变化幅度较小,在 2 000~2 800m³/s 之间。

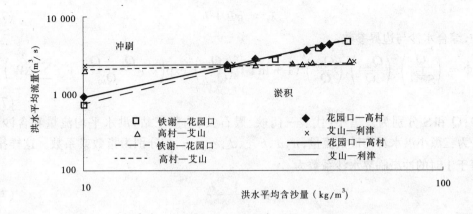

图7-15　中等含沙洪水冲淤临界水沙关系

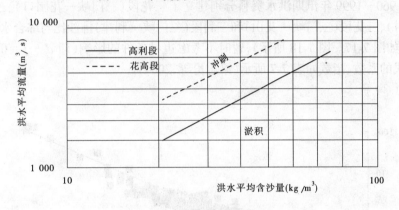

图7-16　漫滩洪水冲淤临界水沙关系

漫滩洪水高村以上河段冲淤临界流量与含沙量关系线稍高于非漫滩洪水关系线,同样进口含沙量时花高段冲淤临界流量明显大于非漫滩洪水的。高村—利津河段冲淤临界水沙关系不明显。

经过分析统计表明,高村以上河段的冲淤特征数值与相应各段进口水沙的相关关系较好,相关程度较高;高村—利津河段的冲淤特征数值与相应各段进口水沙的相关关系较差,相关程度较低。高村以上河段相关较好的主要原因是,河段冲淤的绝对数量较大,相对数量也较大,相对而言误差较小,因此只要选择的水沙、边界参数合适,就会有较高的相关程度;高村—利津河段相关较差的主要原因是,河段冲淤的绝对和相对数量都比较小,测量及其计算误差相对较大,所以相关程度也较低。鉴于该原因,下文将建立从三黑小起算,到花园口、高村、艾山、利津4个河段的冲淤特征与水沙边界条件的关系,然后推出各个河段的冲淤临界水沙条件。

7.3　洪水冲淤阈值与水沙搭配、边界条件关系

为便于建立相关关系同时考虑到洪峰流量与平均流量之比 Q_{max}/Q、流量衰减系数 $Q_{利}/Q$、洪水历时 T、漫滩程度系数 Q_b/Q_{max} 及前期边界条件,可将式(7-1)修正为

$$\lambda_s = g\Phi + h \tag{7-3}$$

其中,综合水沙与边界参数

$$\Phi = \left(\frac{Q}{S^{\frac{1-\beta}{\alpha\gamma-1}}}\right)^n \left(\frac{Q_{\max}}{Q}\right)^a \left(\frac{Q_{出}}{Q}\right)^b (1 + \ln T)^c \left(\frac{Q_b}{Q_{\max}}\right)^d \exp\left(- e\frac{Q_b - Q_{b0}}{Q_{b0}} + f\sum\Delta W\right) \tag{7-4}$$

式中:Q 和 S 分别为三黑小(代表三门峡、黑石关、小董三站)洪水平均流量和含沙量;$Q_{\max}$ 为三黑小洪水日均最大流量;n、a、b、c、d、e、f、g、h 分别为指数或系数。这样排沙比等于 1 时的冲淤临界水沙系数为

$$\Phi = \frac{1-h}{g} \tag{7-5}$$

7.3.1 冲淤临界水沙参数

根据 1960～1999 年汛期洪水资料分别建立了三花段(三门峡—花园口)、三高段(三门峡—高村)、三艾段(三门峡—艾山)和三利段(三门峡—利津)排沙比与综合水沙系数的关系(举例如图 7-17～图 7-18 所示),暂时不考虑边界条件的影响(即 $d \sim f = 0$),各河段排沙比公式的系数、指数如表 7-7 所示(梁志勇等,2004)。

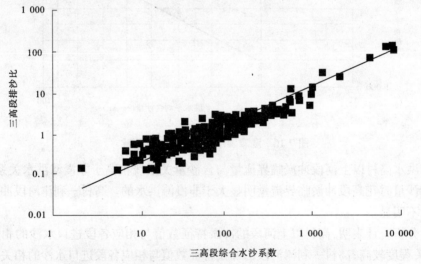

图 7-17 三门峡—高村河段排沙比与综合水沙系数关系

在冲淤临界情况下,三黑小水沙因素有如下关系

$$\frac{Q}{S^{\frac{1-\beta}{\alpha\gamma-1}}} = \left[\frac{1-h}{g}\left(\frac{Q_{\max}}{Q}\right)^{-a}\left(\frac{Q_{出}}{Q}\right)^{-b}(1 + \ln T)^{-c}\right]^{1/n} \tag{7-6}$$

上式表明,在冲淤临界情况下,洪水平均流量与平均含沙量的某一次方成正比关系,含沙量越大,冲淤临界流量也越大;与流量变化幅度、流量衰减系数、洪水持续时间有某种函数的反比关系,流量变化幅度越大、流量衰减程度越高、洪水持续时间越长,冲淤临界流量越小。

表 7-7 和式(7-5)的资料范围为:三黑小洪水平均流量 850～6 530m³/s,三黑小日均最大含沙量 0.1～517kg/m³,洪水平均含沙量 0.06～367kg/m³,三黑小最大日均流量与

平均流量之比 1.00～2.77,洪水历时 3～16d。

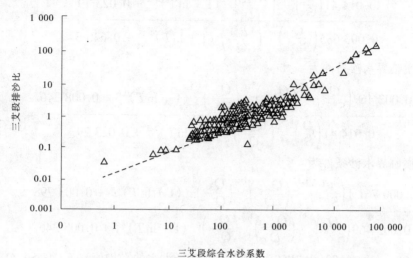

图 7-18   三门峡—艾山河段排沙比与综合水沙系数关系

表 7-7   不同河段排沙比关系式(7-4)或冲淤阈值式(7-6)的系数与指数

指数或系数	三花段	三高段	三艾段	三利段
$\dfrac{1-\beta}{\alpha\gamma-1}$	1.05	1.00	0.90	0.80
n	0.90	0.85	1.01	1.17
a	2.0	0.5	1.6	1.6
b	0	0	1.8	1.8
c	0.25	0.30	0.60	0.60
d	无	无	无	无
e	无	无	无	无
f	无	无	无	无
g	0.003 685	0.014 41	0.002 469	0.000 761 1
h	0.640 3	0.023 79	0.008 346	0.003 798
相关系数	0.92	0.99	0.97	0.97

根据上节建立的排沙比公式以及上下段排沙比的关系可得到排沙比等于 1 时各河段的冲淤临界条件,三花段为

$$\left(\frac{Q}{S^{1.05}}\right)^{0.9}\left(\frac{Q_{max}}{Q}\right)^2(1+\ln T)^{0.25}\approx 97.6 \tag{7-7}$$

花高段冲淤临界水沙条件为

$$\frac{0.014\,41\left(\dfrac{Q}{S}\right)^{0.85}\left(\dfrac{Q_{\max}}{Q}\right)^{0.5}(1+\ln T)^{0.3}+0.023\,79}{0.003\,685\left(\dfrac{Q}{S^{1.05}}\right)^{0.9}\left(\dfrac{Q_{\max}}{Q}\right)^{2}(1+\ln T)^{0.25}+0.640\,3}=1 \tag{7-8}$$

高艾段冲淤临界水沙条件为

$$\frac{0.002\,469\left(\dfrac{Q}{S^{0.9}}\right)^{1.01}\left(\dfrac{Q_{\max}}{Q}\right)^{1.6}\left(\dfrac{Q_{\text{艾}}}{Q_{\text{三}}}\right)^{1.8}(1+\ln T)^{0.6}+0.008\,346}{0.014\,41\left(\dfrac{Q}{S}\right)^{0.85}\left(\dfrac{Q_{\max}}{Q}\right)^{0.5}(1+\ln T)^{0.3}+0.023\,79}=1 \tag{7-9}$$

艾利段冲淤临界水沙条件为

$$\frac{0.000\,761\,1\left(\dfrac{Q}{S^{0.8}}\right)^{1.17}\left(\dfrac{Q_{\max}}{Q}\right)^{1.6}\left(\dfrac{Q_{\text{利}}}{Q_{\text{三}}}\right)^{1.8}(1+\ln T)^{0.6}+0.003\,798}{0.002\,469\left(\dfrac{Q}{S^{0.9}}\right)^{1.01}\left(\dfrac{Q_{\max}}{Q}\right)^{1.6}\left(\dfrac{Q_{\text{艾}}}{Q_{\text{三}}}\right)^{0.6}(1+\ln T)^{0.6}+0.008\,346}=1 \tag{7-10}$$

暂取 $Q_{\max}/Q=1.33$(为 1960~1999 年 422 场洪水的平均值),$T=9.5\text{d}$,$Q_{\text{艾}}/Q_{\text{三}}=1$,$Q_{\text{利}}/Q_{\text{三}}=1$ 进行分析,这样三花段的临界水沙关系为

$$Q\approx 62.1S^{1.05} \tag{7-11}$$

花高段冲淤临界水沙关系为

$$\frac{0.023\,67\left(\dfrac{Q}{S}\right)^{0.85}+0.023\,79}{0.008\,753\left(\dfrac{Q}{S^{1.05}}\right)^{0.9}+0.640\,3}=1 \tag{7-12}$$

高艾段冲淤临界水沙条件为

$$\frac{0.007\,905\left(\dfrac{Q}{S^{0.9}}\right)^{1.01}+0.008\,346}{0.023\,67\left(\dfrac{Q}{S}\right)^{0.85}+0.023\,79}=1 \tag{7-13}$$

艾利段冲淤临界水沙条件为

$$\frac{0.002\,437\left(\dfrac{Q}{S^{0.8}}\right)^{1.17}+0.003\,798}{0.007\,905\left(\dfrac{Q}{S^{0.9}}\right)^{1.01}+0.008\,346}=1 \tag{7-14}$$

利用上述冲淤临界水沙条件得到了各河段冲淤临界条件下三黑小洪水平均流量与平均含沙量的关系线如图 7-19 所示,图中还对不同水沙搭配、不同河段进行了分区。可以看出,在给定条件下,①当三黑小洪水平均流量在 3 000m³/s 左右、平均含沙量在 30 kg/m³ 左右时,下游三高段、艾利段基本上处于冲淤平衡或临界状态,而高艾段处于淤积状态。②根据三黑小水沙搭配,可将四个河段分为五类十个区域:一类为四河段全冲区,这时流量相对较大,为"相对清水"冲刷区;二类为四河段全淤区,此时含沙量相对较大,为"相对浑水"淤积区;三类为上冲下淤区,在含沙量小于 40kg/m³ 时随着流量的增加,依次为三艾段冲刷艾利段淤积、三高段冲刷高利段淤积、三花段冲刷花利段淤积(隐含)三个区;四类为上淤下冲区,包括三花段淤积花利段冲刷、三高段淤积高利段冲刷、三艾段淤积

艾利段冲刷三个区;五类为冲淤交替区,包括三高段冲刷、艾利段冲刷、高艾段淤积和三花段淤积、高艾段淤积、花高段冲刷、艾利段冲刷两个区。如三黑小流量在5 000m³/s左右、含沙量在80kg/m³左右时处于上冲下淤区的三高段淤积高艾段冲刷区,即在这种水沙组合情况下三高段表现为淤积,而高利段则表现为冲刷。

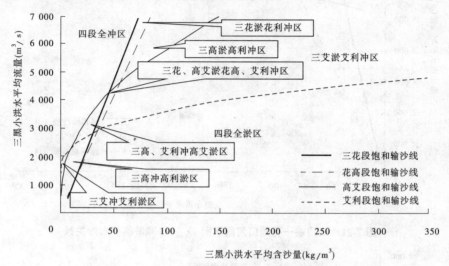

图 7-19 三黑小水沙搭配与下游河段冲淤分区

图 7-20 为以 T 为参数,取 $Q_{max}/Q=1.33$、三利段流量衰减系数的平均值 0.89 时三利段洪水平均流量与平均含沙量的关系,可以看出,洪水持续时间的影响是明显的。洪水历时越长,同样含沙量条件下相应的冲淤临界流量越小,如三黑小含沙量 100kg/m³ 时三高段 3d 冲淤临界流量为 10 000m³/s 左右,而 10d 的冲淤临界流量只需要 7 500m³/s 左右。

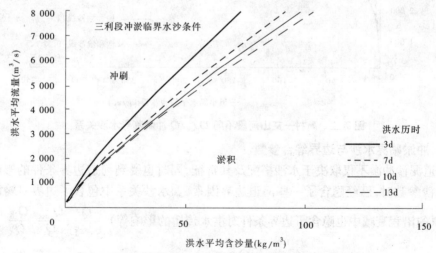

图 7-20 三门峡—利津河段不同洪水历时冲淤临界水沙关系

洪峰最大流量与平均流量之比、流量沿程衰减的影响也可以作出类似分析如图 7-21、图 7-22 所示,可以看出:①洪水最大流量与平均流量之比较大时冲刷区域范围增加,有利于河道的输沙和冲刷。②流量沿程衰减系数小时淤积区域增大,河道会加大淤积量。

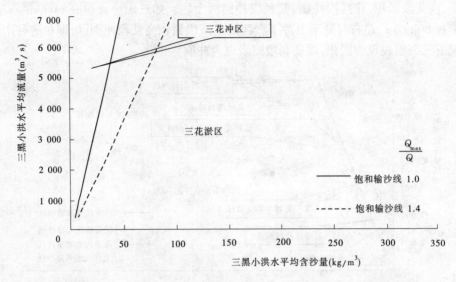

图 7-21　三门峡—花园口河段不同 Q_{max}/Q 冲淤临界水沙关系

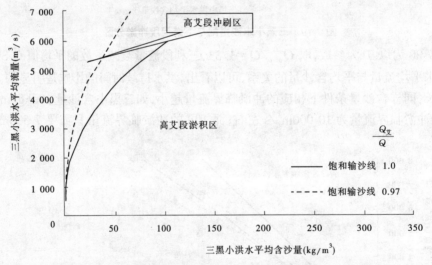

图 7-22　高村—艾山河段不同 Q_{max}/Q 冲淤临界水沙关系

7.3.2　冲淤临界水沙与边界综合参数

河道泥沙冲淤不仅取决于水沙搭配及其特征,同时也受到河道边界条件的影响。在考虑水沙参数时,已经隐含了一些河道边界因素(如水沙关系中包含了边界对输沙的影响、流量的沿程衰减中也隐含了边界条件对洪水传播的影响等), $\dfrac{Q}{S^{\frac{1-\beta}{\alpha\gamma-1}}}$、 $\dfrac{Q_{max}}{Q}$、 $\dfrac{Q_{出}}{Q}$、 $\dfrac{Q_b}{Q_{max}}$ 和

T 代表了水沙搭配及洪水特征的影响, $\dfrac{Q_b - Q_{b0}}{Q_{b0}}$、 $\sum\Delta W$ 代表了前期河道边界条件、累积淤积量的影响。根据 1960～1999 年汛期洪水资料分别建立了三花段(三门峡—花园口)、三高段(三门峡—高村)、三艾段(三门峡—艾山)和三利段(三门峡—利津)排沙比与综合

水沙、边界参数的关系,各河段排沙比公式的系数、指数如表7-8所示。

表7-8　不同河段排沙比关系式(7-4)或冲淤阈值式(7-6)的系数与指数

指数或系数	三花段	三高段	三艾段	三利段
$\dfrac{1-\beta}{\alpha\gamma-1}$	1.05	1.00	0.90	0.80
n	0.90	0.90	1.09	1.23
a	2.0	0.5	1.6	1.6
b	0	0	1.8	1.8
c	0.25	0.30	0.60	0.60
d	2.5	0.8	0.3	0.1
e	0.2	0.008	0.005	0.001
f	0.3	0.1	0.3	0.3
g	0.002 850	0.008 962	0.001 339	0.000 485 4
h	0.308 3	0.145 7	0.054 26	0.012 03
相关系数	0.97	0.99	0.98	0.98

7.4　小结

(1)利用黄河下游 1960～1999 年 422 场次洪水资料对三黑小平均含沙量大于 20 kg/m³ 的洪水进行了统计分析,认为:①中等含沙 20～80kg/m³ 非漫滩洪水是上段(高村以上)淤积,下段(高村—利津)冲刷,其中艾利段冲刷量较大,几乎等于上段的淤积量。分含沙量级看,含沙量 20～30kg/m³ 时三利段都表现为冲刷,其中三花段、艾利段冲刷较大,另外两个河段冲刷较小;含沙量 30～40kg/m³ 时三花段淤积,花利段冲刷;含沙量 40～60kg/m³、70～80kg/m³ 时上段淤积,下段冲刷;含沙量 60～70kg/m³ 时三艾段淤积,艾利段冲刷。即,随着含沙量的增大,三花段、花高段从上而下冲刷依次转变为淤积;高艾段除含沙量 60～70kg/m³ 时淤积外其他均为冲刷,艾利段总是冲刷。②80kg/m³ 以上较高含沙由于来水含沙量较大,下游淤积量大,淤积严重。四个河段中只有艾利段微冲,其他三个河段均为淤积。③高含沙洪水淤积最为严重,上段多淤、下段少淤。④漫滩洪水三花段和艾利段冲刷,中间河段淤积。

(2)在统计分析黄河下游 1960～1999 年洪水资料和探索冲淤临界水沙条件各个影响因素的基础上,以场次洪水的平均流量、平均含沙量、洪峰大小与平均流量之比、流量衰减系数、洪水持续时间、平滩流量变化率、累积淤积量等代表水沙和边界条件,建立了以三黑小水沙条件为表达式的不同河段排沙比的统计关系式(7-3),其系数和指数见表7-6～表7-7,提出了黄河下游不同河段的阈值即三黑小临界水沙搭配关系,举例计算如式(7-10)～式(7-13),勾画出了各个河段三黑小冲淤阈值的水沙关系(举例见图7-19)。

参 考 文 献

[1] 梁志勇,刘继祥,张厚军.黄河下游河道洪水冲淤临界水沙条件.中国水利水电科学研究院学报,2004(2)

第八章　艾山—利津段洪水粗沙冲淤特性探讨

从防洪减淤的角度来讲,黄河下游河道的关键问题有两个。一是如何减少泥沙淤积总量、减缓泥沙的淤积速率,二是在淤积总量或淤积速率降低的同时,如何使泥沙淤积的部位更加合理,有利于下游河道的长期运用。而在下游河道淤积物中,粗沙所占比例较大,如钱宁等(1980)用 20 世纪 50 年代的资料分析结果为 49.1%,张仁等(1998)利用 1965～1990 年的资料分析结果为 49.8%,利用 1960 年 7 月～1990 年 12 月的资料分析结果为 86%(赵文林,1996),刘继祥等利用 1960～1990 年资料统计结果为 81.0%[1],前二者与后二者的差别与 1960～1964 年三门峡水库蓄水运用期下游河道冲刷有关。由于粗沙在下游河道淤积中占有较大比重,因而在小浪底水库的运用方式研究中才有逐步抬高水位运用、"拦粗排细"的设想。

尹学良(1995)认为,小水期的泥沙淤积是黄河下游泥沙淤积的主体,治理黄河下游应从控制小水期的泥沙淤积着手。齐璞等(1997)从艾山以下河道的输沙特性出发,认为粗沙主要是小水期淤积的结果,拦截粗沙应拦截小水时的粗沙,流量大于 2 000m³/s 时粗沙能顺利输送入海。

从汛期洪水的统计结果来看(表 8-1)稍有差别,粗沙淤积比例大于 40%,约为全年统计比例 81%～86%的一半。艾山—利津河段粗沙淤积比例约 10.0%,仍然大于全沙淤积比例,约为全沙淤积比例的 2 倍。而且,艾山—利津河段粗沙淤积量占全沙淤积量的比例大于 90%。这说明汛期洪水期粗沙淤积比例低于全年的,艾山—利津河段粗沙淤积是汛期洪水淤积的主体。

虽然汛期洪水的粗沙淤积比例小于全年的,但因汛期来沙量巨大,因而其淤积量仍然大于汛期平水期(小于 1 000m³/s 流量)及非汛期的。刘继祥等利用 1960～1996 年洪水资料求得黄河下游粗沙淤积总量约 29.35 亿 t,其中汛期洪水期淤积 22.79 亿 t,占 78%。本章以刘继祥等的研究工作为基础,利用 1960～1999 年黄河下游汛期洪水资料,分别建立不同河段排沙比与综合水沙系数的关系,对上段(高村以上河段)、中段(高村—艾山)和下段(艾山—利津)的冲淤调整关系进行分析,为下游河道治理决策和小浪底水库的运用提供参考。

本章将统计分析不同流量级、不同含沙量级洪水粗($d > 0.05$mm)、中($d = 0.025 \sim 0.05$mm)、细($d < 0.025$mm)泥沙在黄河下游各河段的冲淤情况,分析各种水沙组合的洪水进入山东河道及进入艾山—利津河段后的级配调整,重点研究什么水沙组合的洪水粗泥沙在下游河道特别是艾山—利津河段淤积最为严重。

---

❶ 刘继祥等,1999 年,黄河下游冲淤特性研究,小浪底水库运用方式研究专题报告之二,黄河水利委员会勘测规划设计研究院。

表 8-1　黄河下游汛期洪水水量及冲淤情况

站名 (河段)	W (亿 m^3)	$W_{s细}$ (亿 t)	$W_{s中}$ (亿 t)	$W_{s粗}$ (亿 t)	W_s (亿 t)	$DW_{s细}$ (亿 t)	$DW_{s中}$ (亿 t)	$DW_{s粗}$ (亿 t)	DW_s (亿 t)
流量为 1 000～1 500m³/s　　场次为 102 场　　天数为 614d									
三黑小	695.8	12.5	6.0	5.1	23.6	0.568	1.599	1.612	3.773
花园口	705.6	11.7	4.4	3.4	19.4	1.131	0.514	0.861	2.512
高村	649.2	10.0	3.7	2.4	16.1	0.496	−0.089	0.063	0.470
艾山	633.8	9.1	3.6	2.2	14.9	0.193	0.801	0.608	1.598
利津	563.5	8.4	2.6	1.5	12.5				
三一利						2.388	2.825	3.14	8.353
流量为 1 500～2 000m³/s　　场次为 107 场　　天数为 891d									
三黑小	1 337.3	39.3	18.0	15.1	72.4	0.210	0.773	0.803	1.786
花园口	1 365.3	37.7	12.1	9.3	59.1	0.701	0.254	0.355	1.310
高村	1 272.0	31.2	10.0	6.3	47.5	0.193	−0.059	−0.001	0.134
艾山	1 270.1	28.6	10.2	6.1	44.9	−0.025	0.081	0.091	0.147
利津	1 174.8	28.1	9.1	5.1	42.2				
三一利						1.079	1.049	1.248	3.377
流量为 2 000～2 500m³/s　　场次为 66 场　　天数为 554d									
三黑小	1 064.6	34.0	17.2	13.9	65.0	0.213	0.802	0.779	1.794
花园口	1 099.1	33.5	11.8	8.8	54.2	0.697	0.333	0.481	1.512
高村	1 046.3	28.3	9.9	5.5	43.8	0.210	0.007	−0.032	0.183
艾山	1 072.6	27.0	9.7	5.5	42.2	−0.158	−0.045	0.059	−0.145
利津	1 014.2	27.4	9.7	5.0	42.2				
三一利						0.962	1.097	1.287	3.344
流量为 2 500～3 000m³/s　　场次为 39 场　　天数为 361d									
三黑小	855.5	23.6	12.1	9.7	45.4	0.036	0.380	0.532	0.948
花园口	879.2	24.1	9.4	6.2	39.7	0.445	0.303	0.311	1.059
高村	831.8	20.4	6.9	3.5	30.7	0.123	−0.083	−0.098	−0.058
艾山	838.3	18.8	7.7	4.5	31.1	−0.127	−0.031	0.044	−0.114
利津	795.6	19.8	7.8	4.0	31.6				
三一利						0.077	0.569	0.789	1.835
流量为 3 000～3 500m³/s　　场次为 43 场　　天数为 380d									
三黑小	1 059.8	33.2	17.7	14.8	65.7	−0.552	0.423	0.449	0.320
花园口	1 112.9	37.4	14.7	11.7	63.8	0.753	0.309	0.521	1.584
高村	1 072.8	31.5	11.7	7.0	50.1	0.215	−0.065	−0.073	0.077
艾山	1 074.8	29.8	12.0	7.3	49.1	−0.153	−0.037	0.066	−0.126
利津	1 032.6	30.6	12.2	6.7	49.5				
三一利						0.263	0.63	0.963	1.855

站名 (河段)	W (亿 m^3)	$W_{s细}$ (亿 t)	$W_{s中}$ (亿 t)	$W_{s粗}$ (亿 t)	W_s (亿 t)	$DW_{s细}$ (亿 t)	$DW_{s中}$ (亿 t)	$DW_{s粗}$ (亿 t)	DW_s (亿 t)
流量为 3 500～4 000m³/s　　　场次为 16 场　　　天数为 156d									
三黑小	509.4	9.4	4.8	3.7	17.8	-0.060	0.026	0.024	-0.010
花园口	529.1	10.0	4.6	3.3	18.0	-0.045	-0.101	0.102	-0.045
高村	511.0	10.4	5.5	2.4	18.3	0.022	0.004	-0.081	-0.055
艾山	503.5	9.8	5.4	3.3	18.5	-0.111	-0.032	0.004	-0.139
利津	477.9	10.7	5.6	3.1	19.4				
三一利						-0.194	-0.103	0.049	-0.249
流量为 4 000～4 500m³/s　　　场次为 22 场　　　天数为 233d									
三黑小	859.5	15.8	6.8	3.9	26.5	-0.289	-0.133	-0.104	-0.526
花园口	897.9	18.8	8.6	5.4	32.8	-0.017	-0.123	0.027	-0.113
高村	885.5	19.0	9.7	5.1	33.8	-0.085	0.084	-0.023	-0.024
艾山	901.9	19.7	8.8	5.1	33.7	-0.069	-0.115	-0.063	-0.247
利津	860.2	20.2	9.5	5.5	35.2				
三一利						-0.46	-0.287	-0.163	-0.91
流量为 4 500～5 000m³/s　　　场次为 12 场　　　天数为 120d									
三黑小	488.8	11.0	4.4	2.9	18.3	-0.289	-0.133	-0.104	-0.526
花园口	520.0	12.1	4.8	3.4	20.3	-0.050	-0.090	-0.038	-0.178
高村	515.3	12.5	5.7	3.4	21.6	-0.074	0.017	0.046	-0.011
艾山	539.1	12.8	5.5	3.2	21.5	-0.022	-0.065	-0.101	-0.188
利津	522.8	12.8	6.1	4.1	23.0				
三一利						-0.435	-0.271	-0.197	-0.903
流量为 5 000m³/s 以上　　　场次为 13 场　　　天数为 139d									
三黑小	661.1	8.4	3.8	2.4	14.6	-0.287	-0.111	-0.042	-0.440
花园口	710.1	11.5	5.1	2.9	19.5	-0.148	-0.138	-0.021	-0.306
高村	705.6	13.0	6.5	3.2	22.7	0.233	0.032	-0.085	0.180
艾山	726.7	10.5	6.2	4.0	20.7	-0.004	-0.059	-0.071	-0.134
利津	704.6	10.5	6.8	4.9	22.2				
三一利						-0.21	-0.335	-0.29	-0.834
总计：所有洪水场次为 420 场　　　累计天数为 3 448d									
三黑小	7 531.8	187.2	90.8	71.5	349.3	-0.45	3.626	3.949	7.119
花园口	7 819.2	196.8	75.5	54.4	326.8	3.467	1.261	2.599	7.335
高村	7 489.5	176.3	69.6	38.8	284.6	1.333	-0.152	-0.284	0.896
艾山	7 560.8	166.1	69.1	41.2	276.6	-0.476	0.498	0.637	0.652
利津	7 146.2	168.5	69.4	39.9	277.8				
三一利						3.47	5.174	6.826	15.868

8.1 所有场次洪水分组泥沙冲淤统计结果

表8-1为黄河下游河道1960~1999年各河段不同流量级洪水粗、中、细泥沙在黄河下游河道冲淤情况。结果表明:

(1)在1960~1999年所有420场洪水中,三黑小水量7 532亿 m³,沙量349亿 t,所有场次洪水的平均流量2 528m³/s,平均含沙量46.3kg/m³,三利段共淤积泥沙约15.9亿 t,其中细沙3.5亿 t,中沙5.2亿 t,粗沙6.8亿 t,粗沙淤积量占整个淤积量的43%。从沿程分布来看,粗沙在三花段淤积3.9亿 t,花高段淤积2.6亿 t,高艾段稍有冲刷,艾利段淤积0.6亿 t。粗沙的绝对淤积量在三花段较大,而相对淤积量艾利段较大,约占艾利段全沙淤积量的98%。因此,粗沙是下游河道淤积的主体,更是艾利段河道淤积的主体。

(2)下游河道的冲淤情况整体上表现为淤积状态,但细、中、粗沙都存在冲刷情况。细沙在三花段和高艾段表现为冲刷,是3 000m³/s以上流量冲刷的结果。图8-1为细沙在不同流量级情况下的沿程冲淤分布情况,在小流量情况下,细沙较少被冲刷;而在流量大于1 500m³/s以后,艾利段细沙都表现为冲刷;在流量大于3 000m³/s以后,三花段细沙都表

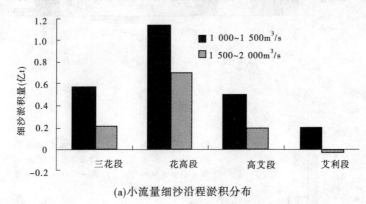

(a)小流量细沙沿程淤积分布

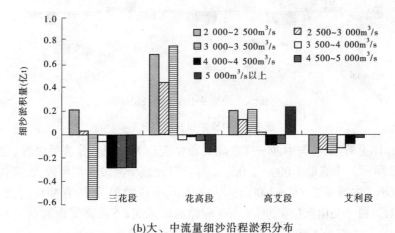

(b)大、中流量细沙沿程淤积分布

图8-1　细沙淤积量沿程分布

现为冲刷;在流量大于3 500m³/s以后,花高段细沙都表现为冲刷;在流量大于4 000m³/s以后,高艾段细沙都表现为冲刷。这也说明,艾利段细沙最容易冲刷,三黑小流量超过3 000m³/s后,三艾段细沙从上而下冲刷。

(3)从总量来讲,中沙在高艾段1 000~3 500m³/s流量情况下都表现为冲刷;流量大于2 000m³/s后在艾利段都表现为冲刷;中沙在三花段4 000m³/s以上流量时均表现为冲刷;在花高段3 500m³/s以上时都表现为冲刷(如图8-2)。因此,对于中沙而言,小水期特别是1 000~2 000m³/s流量级在山东河段淤积最为严重。

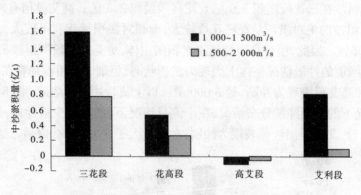

(a)小流量中沙沿程淤积分布

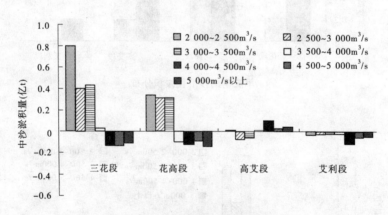

(b)大、中流量中沙沿程淤积分布

图8-2 中沙淤积量沿程分布

(4)从总体上看,粗沙与中沙一样在高艾段也表现为冲刷。分流量级看,也与中沙相似,如图8-3所示。小流量1 000~2 000m³/s流量级整个河段淤积量较大,高村—艾山河段淤积量较小。中流量2 000~4 000m³/s情况下,上段淤积,下段有冲有淤;高村以上河段大量淤积,高村—艾山河段微冲,艾山—利津河段微淤;下段高艾段冲刷量与艾利段淤积量基本持平。大流量4 000m³/s以上情况下,整个河段表现为冲刷;4 000~5 000m³/s流量时花高段与高艾段冲淤交替。

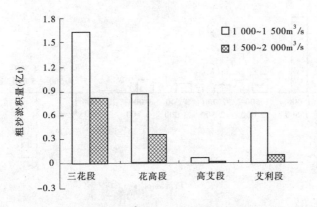

(a)2 000m³/s以下流量粗沙淤积情况

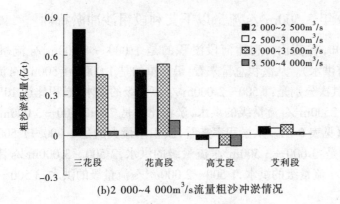

(b)2 000~4 000m³/s流量粗沙冲淤情况

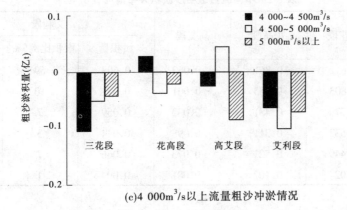

(c)4 000m³/s以上流量粗沙冲淤情况

图 8-3 粗沙淤积量沿程分布

这一现象说明,在艾山—利津河段粗泥沙淤积量最大的流量级是中小流量级1 000～3 500m³/s,其中1 000～2 000m³/s 流量级淤积比例最大,淤积量约0.7 亿 t;2 000～3 500m³/s流量级淤积约0.169 亿 t。但从淤积率来看则稍有不同。

从图 8-4 艾利段粗沙淤积率随不同流量级的变化情况可以看出,小流量级淤积率最大,大流量级淤积率最小或冲刷。因此,应当把中、小流量级作为分析的重点。

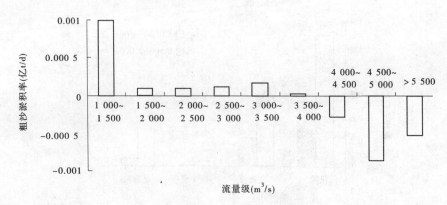

图 8-4　艾利段粗沙淤积率与流量关系

8.2　1974～1999 年 3 500m³/s 流量以下艾利段粗沙冲淤特性

从上节分析可知,在艾山—利津河段淤积的是 1 000～4 000m³/s 流量级的洪水 (1974～1999 年所有洪水)。从淤积总量来看,最严重的是 1 000～1 500m³/s 流量级的洪水,淤积比达 69%;其次分别是:1 500～2 000m³/s 流量级的洪水,淤积比达 10%;3 000～3 500m³/s 和 2000～2500m³/s 流量级的洪水,淤积比都是 7%;2 500～3 000m³/s 流量级的洪水,淤积比 5%(见表 8-2)。从淤积率来看,淤积率最大的是 1 000～1 500m³/s 流量级的洪水,其次分别是:3 000～3 500m³/s 流量级的洪水,2 500～3 000m³/s 流量级的洪水,2 000～2 500m³/s 流量级的洪水,1 500～2 000m³/s 流量级的洪水,3 500～4 000m³/s 流量级的洪水。

表 8-2　不同流量级粗沙淤积分布情况　　　　　　　　　　　　（单位:亿 t）

流量级 （m³/s）	三花段	花高段	高艾段	艾利段		
				淤积量	淤积比例(%)	排序
1 000～1 500	1.612	0.861	0.063	0.608	69	1
1 500～2 000	0.803	0.355	−0.001	0.091	10	2
2 000～2 500	0.779	0.481	−0.032	0.059	7	4
2 500～3 000	0.532	0.311	−0.098	0.044	5	5
3 000～3 500	0.449	0.521	−0.073	0.066	7	3
3 500～4 000	0.024	0.102	−0.081	0.004	1	6

因此,下面将着重分析 1 000～1 500m³/s 流量级的洪水,以及 1 500～3 500m³/s 流量级的洪水。

8.2.1　三黑小 1 000～1 500m³/s 流量级的洪水

图 8-5～图 8-7 为 1974～1999 年 71 场次汛期洪水下游河道三黑小 1 000～1 500m³/s 流量级、不同河段不同三黑小含沙量级时粗沙输沙量和淤积量的变化情况,可以看出,①艾山以上河段与艾山以下河段粗沙的冲淤表现差异较大。艾山以上河段低含沙量时表现为冲刷,高含沙量时表现为淤积;艾山以下河段低含沙量和高含沙量时都表现为淤积,

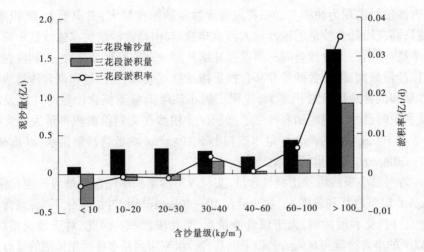

图 8-5　三花段不同含沙量级粗沙输沙量和淤积量

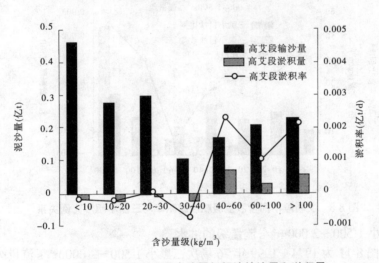

图 8-6　高艾段不同含沙量级粗沙输沙量和淤积量

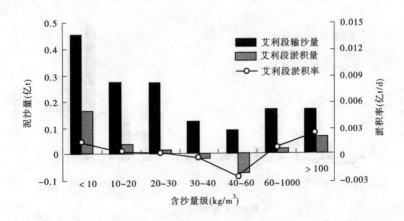

图 8-7　艾利段不同含沙量级粗沙输沙量和淤积量

而在中等含沙量时表现为冲刷。②三花段高含沙量的输沙量大,淤积量大,淤积率高,表现为"三高";高艾段低含沙量的输沙量大河道却冲刷,中高含沙量洪水输沙量小而淤积量大且淤积率高,说明在低含沙量时三高段在冲刷甚至一直冲刷到高艾段;艾利段在三黑小低含沙量输沙量最大,较低含沙量和高含沙量输沙量较大,低含沙量和高含沙量级淤积量大,高含沙量和低含沙量级淤积率大,说明三黑小该级流量下低含沙量时冲刷发展到艾山,到达艾利段时已经为超饱和而产生了淤积。③粗沙在艾利段淤积率最大的含沙量级是三黑小大于$100kg/m^3$的高含沙量水流和小于$10kg/m^3$的低含沙量洪水,以及$60\sim100$ kg/m^3、$10\sim30kg/m^3$含沙量的洪水。

图8-8为三黑小来沙粗沙比例与含量、艾利段粗沙淤积率随含沙量级的变化情况,含沙量$10kg/m^3$以下时艾利段淤积,含沙量在$10\sim40kg/m^3$时,冲淤变化不大,当含沙量在$40\sim60kg/m^3$时,艾利段冲刷,大于该含沙量后,艾利段淤积。因此,对于该流量级而言,$10kg/m^3$以下的小含沙量和$60kg/m^3$以上的高含沙水流应当是水库拦粗排细的重点。

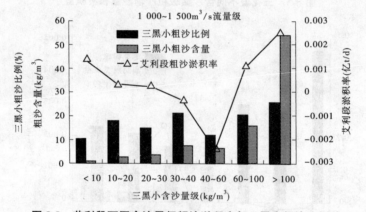

图8-8　艾利段不同含沙量级粗沙淤积率与三黑小粗沙比例关系

8.2.2　三黑小$1\,500\sim2\,000m^3/s$流量级的洪水

图8-9～图8-11为1974～1999年76场次三黑小$1\,500\sim2\,000m^3/s$流量级洪水不同河段、不同三黑小含沙量级时粗沙输沙量和淤积量的变化情况,可以看出:

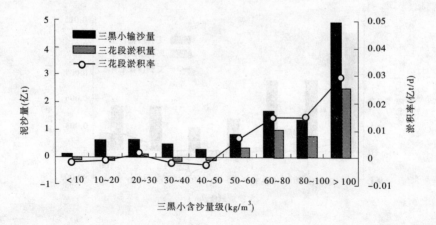

图8-9　三花段三黑小$1\,500\sim2\,000m^3/s$流量级不同含沙量级粗沙输沙量和淤积量

（1）三花段高含沙量洪水的输沙量大，淤积量大，淤积率高，含沙量小时冲刷、大时淤积，表现与 $1\,000\sim1\,500\mathrm{m}^3/\mathrm{s}$ 流量相同；高艾段低含沙量 $20\mathrm{kg}/\mathrm{m}^3$ 以下时河道冲刷，$20\sim50\mathrm{kg}/\mathrm{m}^3$ 时淤积，$50\sim80\mathrm{kg}/\mathrm{m}^3$ 时冲刷，$80\mathrm{kg}/\mathrm{m}^3$ 以上的较高含沙量洪水淤积，说明在低含沙量时粗沙冲刷发展到高艾段。

（2）艾利段则在小于 $60\mathrm{kg}/\mathrm{m}^3$ 或 $80\mathrm{kg}/\mathrm{m}^3$ 含沙量级时的冲淤特性几乎与高艾段相反。在三黑小相应含沙量时分别为淤积、冲淤变化不大、淤积，在高含沙量级时淤积率较大。说明艾利段粗沙的冲淤与高艾段的冲淤有某种联系。

（3）粗沙在艾利段淤积率最大的含沙量级仍然主要是三黑小大于 $100\mathrm{kg}/\mathrm{m}^3$ 的高含沙量水流和小于 $10\mathrm{kg}/\mathrm{m}^3$ 的低含沙量洪水，以及 $60\sim80\mathrm{kg}/\mathrm{m}^3$ 含沙量的洪水。主要发生淤积的含沙量级与 $1\,000\sim1\,500\mathrm{m}^3/\mathrm{s}$ 流量级相似。因此，对于该流量级而言控制艾利段粗沙淤积应当把含沙量 $10\mathrm{kg}/\mathrm{m}^3$ 以下、$60\sim80\mathrm{kg}/\mathrm{m}^3$ 及 $100\mathrm{kg}/\mathrm{m}^3$ 以上的洪水作为重点进行调控。

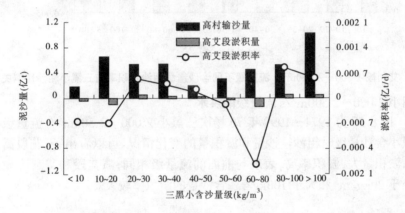

图 8-10　高艾段三黑小 $1\,500\sim2\,000\mathrm{m}^3/\mathrm{s}$ 流量级不同含沙量级粗沙输沙量和淤积量

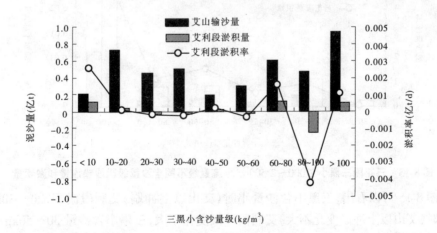

图 8-11　艾利段三黑小 $1\,500\sim2\,000\mathrm{m}^3/\mathrm{s}$ 流量级不同含沙量级粗沙输沙量和淤积量

图 8-12 为三黑小来沙粗沙比例、艾利段粗沙淤积率随含沙量级的变化情况,三黑小含沙量小时(艾山以上冲刷)艾利段淤积,中等含沙量时(艾山以上冲淤变化不大)艾利段冲淤变化不大,三黑小含沙量 50~80kg/m³ 时艾利段淤积,80~100kg/m³ 时冲刷,大于 100kg/m³ 以后淤积。

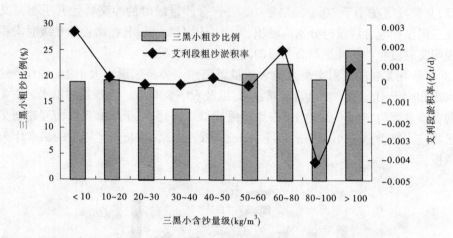

图 8-12 艾利段 1 500~2 000m³/s 流量级不同含沙量级粗沙淤积率与三黑小粗沙比例关系

8.2.3 三黑小 2 000~2 500m³/s 流量级的洪水

图 8-13~图 8-15 为 1974~1999 年 76 场次三黑小 2 000~2 500m³/s 流量级不同河段、不同三黑小含沙量级时粗沙输沙量和淤积量的变化情况,可以看出,三花段高含沙量的输沙量大,淤积量大,淤积率高,表现与前面的流量级相同;高艾段和艾利段规律不明显,艾利段小于 20kg/m³ 和大于 100kg/m³ 含沙量的淤积率较大。

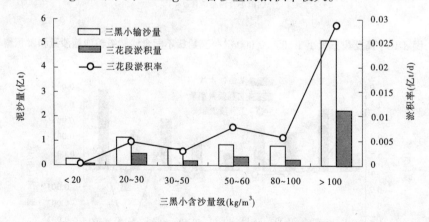

图 8-13 三花段三黑小 2 000~2 500m³/s 流量级不同含沙量级粗沙输沙量和淤积量

从图 8-15 可以看出,三黑小含沙量小时(艾山以上冲刷)艾利段淤积,20~30kg/m³ 含沙量时(艾山以上冲淤变化不大)艾利段冲淤变化不大,三黑小含沙量 30~50kg/m³ 时艾利段冲刷,50~100kg/m³ 时冲淤变化不大,大于 100kg/m³ 以后淤积。主要发生淤积的含沙量级与 1 000~1 500m³/s 流量级相似。因此,对于该流量级而言,控制艾利段粗沙淤积应当把 10kg/m³ 以下、100kg/m³ 以上的洪水作为重点进行调控。

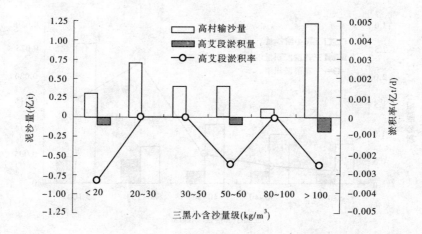

图 8-14　高艾段三黑小 2 000~2 500m³/s 流量级不同含沙量级粗沙输沙量和淤积量

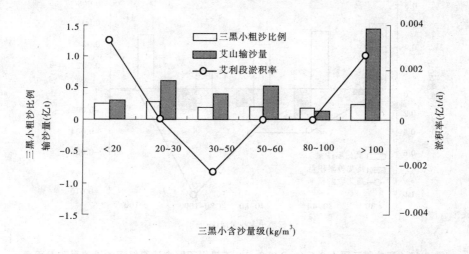

图 8-15　艾利段三黑小 2 000~2 500m³/s 流量级不同含沙量级粗沙输沙量和淤积率

8.2.4　三黑小 2 500~3 000m³/s 流量级的洪水

图 8-16~图 8-18 为 1974~1999 年 23 场次三黑小 2 500~3 000m³/s 流量级洪水、不同河段不同三黑小含沙量级时粗沙输沙量和淤积量的变化情况,可以看出:

(1)三花段大于 80kg/m³ 的较高含沙量的输沙量大,淤积量大,淤积率高,表现与 1 000~2 000m³/s 流量级基本相同,三花段各含沙量级都表现为淤积;高艾段各含沙量级都表现为冲刷,三黑小含沙量小于 30kg/m³ 和大于 100kg/m³ 时冲刷率较小,三黑小含沙量在 30~100kg/m³ 之间时粗沙冲刷率基本上都在 0.004 亿 t/d 或以上;艾利段在 100kg/m³ 以下含沙量时仍然有与高艾段相反的倾向,如图 8-19 所示。

(2)粗沙在艾利段淤积率最大的含沙量级主要是三黑小含沙量 30~40kg/m³ 及 80~100kg/m³ 的洪水,与 1 000~2 000m³/s 流量级不同。因此,对于该流量级而言,控制艾利段粗沙淤积应当把 30~40kg/m³、80~100kg/m³ 的洪水作为重点进行调控。

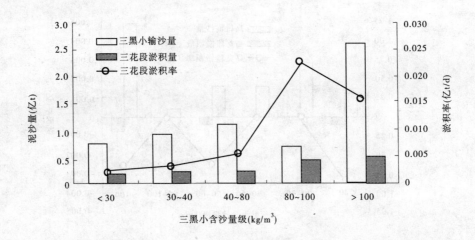

图 8-16　三花段三黑小 2 500～3 000m³/s 流量级不同含沙量级粗沙输沙量和淤积量

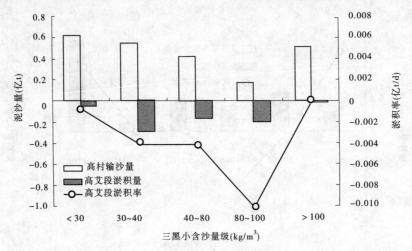

图 8-17　高艾段三黑小 2 500～3 000m³/s 流量级不同含沙量级粗沙输沙量和淤积量

8.2.5　三黑小 3 000～3 500m³/s 流量级的洪水

图 8-20～图 8-22 为 1974～1999 年 76 场次三黑小 3 000～3 500m³/s 流量级不同河段不同三黑小含沙量级时粗沙输沙量和淤积量的变化情况。可以看出,三花段高含沙量洪水的输沙量大,淤积量大,淤积率高;含沙量小时冲刷、大时淤积,表现与前面的流量级相同。高艾段和艾利段也有这样的变化规律。主要发生淤积的含沙量级是小于 30kg/m³ 和大于 100kg/m³ 的洪水。因此,对于该流量级而言,控制艾利段粗沙淤积应当把 30 kg/m³ 以下、100kg/m³ 以上的洪水作为重点进行调控。

8.2.6　小结

根据上文的统计分析,可以得出三黑小不同水沙组合条件下粗沙在艾利段的冲淤情况如表 8-3 所示。由表可见,淤积比较大时三黑小水沙条件是:流量 1 000～3 500m³/s,含沙量小于 30kg/m³ 和大于 80kg/m³ 的洪水。图 8-23 为淤积严重区域分布图,图中同时点绘了流量 1 000～3 500m³/s 时的实测资料情况。

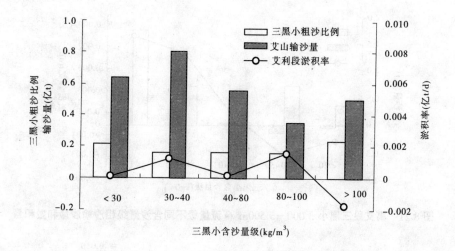

图 8-18 艾利段三黑小 2 500～3 000m³/s 流量级不同含沙量级粗沙输沙量和淤积量

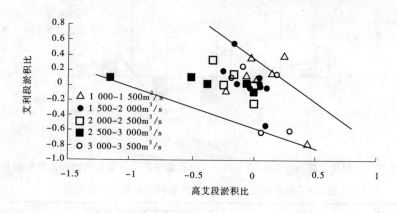

图 8-19 艾利段和高艾段三黑小不同流量级含沙量洪水粗沙淤积比关系

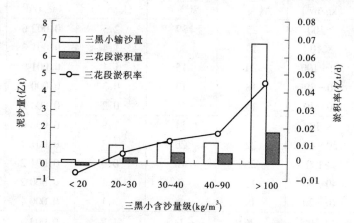

图 8-20 三花段三黑小 3 000～3 500m³/s 流量级不同含沙量级粗沙输沙量和淤积量

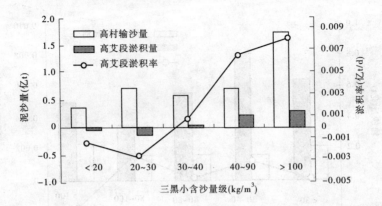

图 8-21 高艾段三黑小 3 000～3 500m³/s 流量级不同含沙量级粗沙输沙量和淤积量

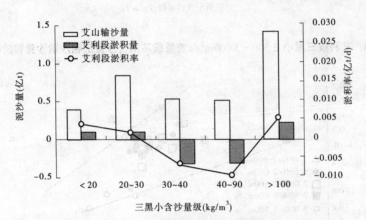

图 8-22 艾利段三黑小 3 000～3 500m³/s 流量级不同含沙量级粗沙输沙量和淤积量

表 8-3 粗沙在艾利段淤积最严重时的三黑小水沙组合

三黑小水沙平均情况			艾利段粗沙情况			淤积严重程度排序（按淤积比）
流量级（m³/s）	含沙量级（kg/m³）	粗沙比例（%）	淤积比（%）	淤积效率（kg/m³）	淤积率（亿 t/d）	
1 000～1 500	>100	25	39	2.5	0.002 6	2
	<10	10	36	1.4	0.001 3	3
	60～100	20	15	1.1	0.001 0	7
	10～20	18	13	0.3	0.000 3	10
	20～30	15	7	0.2	0.000 2	15
1 500～2 000	<10	19	54	1.9	0.002 6	1
	60～80	22	20	1.3	0.001 7	6
	>100	25	10	0.9	0.001 2	12
	40～50	12	3	0.1	0.000 2	16
	10～20	19	2	0.1	0.000 1	17
2 000～2 500	<20	26	33	1.7	0.003 3	4
	>100	21	14	1.5	0.002 6	9

三黑小水沙平均情况			艾利段粗沙情况			淤积严重程度排序（按淤积比）
流量级（m³/s）	含沙量级（kg/m³）	粗沙比例（%）	淤积比（%）	淤积效率（kg/m³）	淤积率（亿 t/d）	
2 500~3 000	80~100	16	9	0.8	0.001 6	14
	30~40	16	10	0.5	0.001 2	13
	40~80	17	1	0	0.000 1	18
3 000~3 500	<20	16	25	1.5	0.004 2	5
	>100	29	14	1.9	0.005 3	8
	20~30	26	11	0.6	0.001 8	11

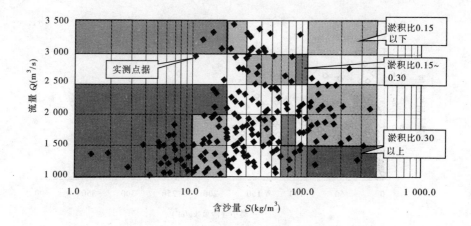

图 8-23　艾利段淤积严重区域分布图

图 8-24 为艾利段淤积率与三黑小全沙含沙量关系,二者有一定的相关关系,三黑小含沙量较小和较大时,艾利段淤积率都大;而当三黑小含沙量在 30~80kg/m³ 之间时艾利段淤积率较小。这一点让人想起了与此相似的泥沙粒径与含沙量的关系。图 8-25 为本次分析所用洪水资料粗沙所占比例与全沙含沙量的关系,也说明全沙含沙量较低时粗沙比例变幅较大,含沙量较大时粗沙比例较大。这种对比说明,艾利段粗沙淤积率与三黑小粗沙比例可能有某种关系。图 8-26 统计了艾利段粗沙淤积率与三黑小粗沙比例之间的关系,可见三黑小粗沙比例较大时,艾利段淤积率较大;三黑小粗沙比例小于 15% 时,艾利段淤积率较小。

因此,艾利段淤积较为严重的三黑小水沙条件是:流量 1 000~2 500m³/s,含沙量小于 30kg/m³ 和大于 80kg/m³ 的洪水,粗沙比例大于 20% 时粗沙淤积会更加严重。

8.3　所有场次非漫滩洪水分组泥沙冲淤特性

表 8-4、表 8-5 按照漫滩洪水、非漫滩洪水、高含沙洪水进行了分类统计,其中非漫滩洪水又按照含沙量级和流量级进行了分类统计。经分析可以得出以下认识:

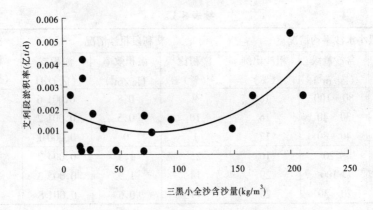

图 8-24　艾利段淤积率与三黑小含沙量关系

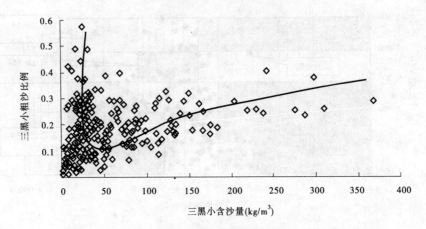

图 8-25　三黑小粗沙比例与含沙量关系

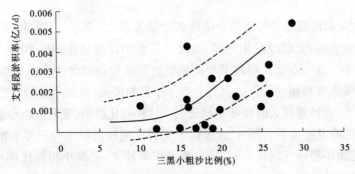

图 8-26　艾利段淤积率与三黑小粗沙比例关系

　　(1)流量大于 2 500m³/s、含沙量小于 20kg/m³ 的洪水(大清水),铁谢—利津河段以及艾山—利津河段总量表现为冲刷,全沙排沙比和粗沙排沙比都大于 1,而且粗沙排沙比稍大于全沙排沙比。从表 8-6 可以看出,各流量级高村以上河段粗沙和全沙均表现为冲刷;高村—利津河段全沙以冲刷为主,但高村—艾山段 3 500～4 000m³/s 和艾山—利津段 4 500～5 000m³/s 流量洪水为淤积;高村—艾山、艾山—利津河段粗沙除大于 5 000 m³/s 流量洪水外冲淤性质相反且数量相近,即高艾段冲刷时艾利段淤积,高艾段淤积时艾利段冲刷,且高艾段粗沙总量为淤积,艾利段粗沙总量为冲刷。因此,对于该部分洪水没有必要"拦粗排细"。

表 8-4　各种洪水条件下黄河下游粗沙冲淤情况

洪水类	一般含沙量非漫滩洪水								一般含沙量漫滩洪水	高含沙洪水
含沙量 (kg/m³)	<20		20~80			>80				
流量 (m³/s)	1 000~2 500	>2 500	1 000~2 500	2 500~3 000	>3 000	1 000~2 500	2 500~3 000	>3 000		
水沙搭配	小清水	大清水	小中水	中中水	大中水	小浑水	中浑水	大浑水		特浑
来水量 (亿 m³)	882.6	1 090.5	1 606.9	500.4	1 413.7	402.0	45.67	242.9	997.4	349.6
全沙来量 (亿 t)	9.83	11.31	63.67	19.61	47.19	47.33	4.22	22.93	47.00	76.32
粗沙来量 (亿 t)	1.70	1.05	12.88	3.99	9.39	9.70	0.68	3.04	9.51	19.54
全沙排沙比	1.47	2.69	0.79	0.93	1.19	0.47	0.57	0.86	0.90	0.38
粗沙排沙比	1.21	4.59	0.47	0.59	0.94	0.27	0.48	0.84	0.83	0.18

表 8-5　各种洪水条件下艾山—利津河段粗沙冲淤情况

洪水类	一般含沙量非漫滩洪水								一般含沙量漫滩洪水	高含沙洪水
含沙量 (kg/m³)	<20		20~80			>80				
流量 (m³/s)	1 000~2 500	>2 500	1 000~2 500	2 500~3 000	>3 000	1 000~2 500	2 500~3 000	>3 000		
来水量 (亿 m³)	867.3	1 249.2	1 543.4	484.9	1 448.5	378.3	38.727	240.3	990.3	320.1
全沙来量 (亿 t)	15.478	28.108	49.546	17.138	53.183	22.843	2.403	19.021	39.23	29.60
粗沙来量 (亿 t)	2.511	4.092	6.985	2.828	8.828	2.550	0.353	2.273	7.12	3.70
全沙淤积量 (亿 t)	1.025	−2.256	−1.038	−1.129	−3.067	0.446	−0.007	−0.741	−3.23	0.59
粗沙淤积量 (亿 t)	0.441	−0.713	0.877	0.469	0.045	−0.037	0.030	−0.281	−0.81	0.18
全沙排沙比	0.93	1.08	1.02	1.07	1.06	0.98	1.00	1.04	1.08	0.98
粗沙排沙比	0.82	1.17	0.87	0.83	0.99	1.01	0.92	1.12	1.11	0.95

(2)流量 1 000~2 500m³/s 的洪水,当含沙量小于 20kg/m³ 时(小清水)铁谢—利津河段总量表现为冲刷,全沙排沙比和粗沙排沙比都大于 1,而且粗沙排沙比稍大于全沙排沙比;但艾山—利津段表现为淤积,全沙排沙比和粗沙排沙比都小于 1。当含沙量大于 20kg/m³ 时(大中水、大浑水)铁谢—利津段全沙和粗沙均表现为淤积,粗沙排沙比只有 0.27~0.47。因此,对于该部分洪水应控制其出库,以减小下游河道的淤积量。值得指出的是,对于含沙量小于 20kg/m³ 的洪水(小清水)而言,虽然铁谢—利津段整体表现为冲刷,但却淤积了艾利段,因此也应当控制其出库或增大出库流量至 2 500m³/s 以上。

(3)流量大于 2 500~3 000m³/s、含沙量在 20~80kg/m³ 的洪水(中中水、大中水),虽然铁谢—利津段以及艾利段粗沙排沙比都小于 1,但全沙排沙比铁利段接近 1、艾利段大于 1。因此,对于该部分洪水可不作为调控的重点,若能适当加大流量、降低含沙量则对下游的冲刷作用会加强。

表 8-6　<20kg/m³ 含沙量、>2 500m³/s 流量洪水铁谢—利津、艾山—利津冲淤情况

流量级(m³/s)		2 500~3 000	3 000~3 500	3 500~4 000	4 000~4 500	4 500~5 000	>5 000	总量
三黑小水量(亿 m³)		176.6	224.3	136.9	223.5	130.0	199.3	1 090.5
三黑小沙量 (亿 t)	粗沙	0.238	0.238	0.205	0.125	0.21	0.031	1.047
	全沙	2.371	2.353	1.257	2.428	1.412	1.486	11.307
铁花淤积效率 (kg/m³)	粗沙	−0.52	−1.89	−1.75	−1.60	−1.32	−0.89	−1.34
	全沙	−5.18	−7.68	−6.58	−7.17	−4.98	−6.13	−6.43
花园口沙量 (亿 t)	粗沙	0.328	0.66	0.445	0.483	0.382	0.207	2.505
	全沙	3.273	4.062	2.156	4.026	2.06	2.708	18.285
花高淤积效率 (kg/m³)	粗沙	−1.51	−0.02	−0.95	−2.37	−3.31	−1.64	−1.55
	全沙	−5.23	−3.24	−8.78	−9.28	−6.34	−8.23	−6.77
高村沙量 (亿 t)	粗沙	0.601	0.657	0.578	1.045	0.837	0.554	4.272
	全沙	4.223	4.801	3.391	6.219	2.925	4.434	25.993
高艾淤积效率 (kg/m³)	粗沙	0.99	−1.26	−2.22	1.22	2.23	−0.03	0.14
	全沙	−3.90	−2.64	1.15	−1.05	−0.33	−3.18	−1.87
艾山沙量 (亿 t)	粗沙	0.417	0.946	0.893	0.751	0.526	0.559	4.092
	全沙	4.941	5.383	3.221	6.47	2.968	5.125	28.108
艾利淤积效率 (kg/m³)	粗沙	−0.81	1.41	1.97	−1.62	−0.60	−2.69	−0.57
	全沙	−2.36	−1.13	−1.91	−3.27	0.11	−1.65	−1.81
利津沙量 (亿 t)	粗沙	0.578	0.599	0.61	1.166	0.618	1.234	4.805
	全沙	5.412	5.661	3.495	7.306	2.951	5.539	30.364
铁利淤积效率 (kg/m³)	粗沙	−1.96	−1.70	−2.99	−4.67	−3.15	−6.04	−3.48
	全沙	−17.36	−15.21	−16.48	−21.89	−11.91	−20.33	−17.63

(4)流量大于 2 500~3 000m³/s、含沙量大于 80kg/m³ 的较高含沙洪水(中浑水、大浑水),下游河道的淤积较为严重,粗沙淤积更为严重,淤积主要集中在高村以上河段。因此应当尽量降低出库含沙量,同时拦粗排细、增大出库流量,以减小下游河道的淤积量。

(5)对于高含沙洪水(特浑水)而言,下游河道全沙排沙比和粗沙排沙比分别为 0.38 和 0.18,主要淤积在高村以上河段,而且高含沙洪水也给防洪造成困难,因此应当控制其出库,尽量降低出库含沙量同时拦截粗沙,增大出库流量,使其成为较低含沙量、较大流量的洪水,以减小下游河道的淤积。

(6)同一流量级和含沙量级情况下,铁谢—利津段粗沙排沙比与全沙排沙比相差较大,但主要差别发生在高村以上河段,高村以下特别是艾山—利津段二者差别不大。因此,粗沙的冲淤调整主要发生在高村以上河段。拦粗排细的减淤作用可能在高村以上河段更加显著。

因此,下游河道淤积较为严重的情况主要是流量较小、含沙量较大且粗沙含量较大的相对浑水,如 80kg/m³ 以上含沙量的高含沙和较高含沙洪水、小流量的中等含沙洪水等。下文进一步分析三黑小粗沙比例在下游冲淤中所起的作用。

表8-7~表8-11 分别统计了 1 000~3 500m³/s 各级流量不同三黑小含沙量级洪水条件下不同三黑小粗沙比例(以粗沙比例 20%为分界)时下游河道的泥沙冲淤情况,分析可以得出以下认识:

表 8-7　1 000~1 500m³/s 洪水条件下黄河下游粗沙冲淤情况

含沙量(kg/m³)	<20		20~80		>80	
粗沙比例(%)	0~20	>20	0~20	>20	0~20	>20
三黑小粗沙比例(%)	9	30	10	33	16	27
来水量(亿 m³)	235.9	104.0	166.6	130.1	23.8	17.9
全沙来量(亿 t)	2.201	1.604	5.832	4.729	2.43	2.142
粗沙来量(亿 t)	0.215	0.517	0.641	1.478	0.41	0.555
全沙淤积量(亿 t)	−1.383	0.766	0.506	1.768	1.114	1.607
粗沙淤积量(亿 t)	−0.33	0.367	0.049	1.135	0.242	0.527
艾山粗沙比例(%)	19	15	10	19	13	12
淤积效率(kg/m³)	铁利段全沙　−5.86	7.36	3.04	13.59	46.73	89.87
	铁利段粗沙　−1.40	3.53	0.29	8.72	10.15	29.47
	艾利段全沙　2.65	4.11	−0.08	2.96	0.33	5.07
	艾利段粗沙　*0.88*	*0.44*	−0.14	2.41	0.04	2.74

(1)对于铁利段而言,同一流量级、含沙量级三黑小粗沙比例大于 20%时全沙及粗沙的淤积效率普遍大于三黑小粗沙比例小于 20%的洪水(仅 3 000~3 500m³/s 流量级、80 kg/m³ 以上含沙量级例外)。其中,当含沙量较小或流量较大时,粗沙比例较小的洪水表现为冲刷,而粗沙比例较大的洪水则表现为淤积。

(2)对于艾利段而言,三黑小粗沙比例大于20%时全沙以及粗沙的淤积效率在很多情况下大于三黑小粗沙比例小于20%的洪水,但也有不少例外(表中以斜体表示的淤积效率),如3 000m³/s流量以上的洪水。这表明,三黑小粗沙比例较高时通常铁利段全沙以及粗沙淤积效率较大,艾利段的淤积效率也较大。因此,拦截粗沙、降低粗沙比例对下游河道的减淤是有效的。

表 8-8　1 500～2 000m³/s洪水条件下黄河下游粗沙冲淤情况

含沙量(kg/m³)		<20		20～80		>80	
粗沙比例(%)		0～20	>20	0～20	>20	0～20	>20
三黑小粗沙比例(%)		8	29	12	27	15	25
来水量(亿 m³)		234.5	105.7	361.6	340.3	64.8	160.0
全沙来量(亿 t)		2.492	1.72	15.404	14.875	7.345	19.738
粗沙来量(亿 t)		0.193	0.491	1.784	3.986	1.104	4.884
全沙淤积量(亿 t)		−2.252	0.233	1.461	3.955	3.123	10.504
粗沙淤积量(亿 t)		−0.438	0.121	0.138	2.763	0.624	3.72
艾山粗沙比例(%)		16	23	12	17	11	12
淤积效率(kg/m³)	铁利段全沙	−9.60	2.20	4.04	11.62	48.19	65.63
	铁利段粗沙	−1.87	1.14	0.38	8.12	9.63	23.24
	艾利段全沙	1.23	1.35	*−0.36*	*−0.43*	1.74	4.08
	艾利段粗沙	*0.69*	*0.05*	0.06	1.85	−0.10	0.33

表 8-9　2 000～2 500m³/s洪水条件下黄河下游粗沙冲淤情况

含沙量(kg/m³)		<20		20～80		>80	
粗沙比例(%)		0～20	>20	0～20	>20	0～20	>20
三黑小粗沙比例(%)		9	49*	13	29	15	25
来水量(亿 m³)		183.9	18.7	272.1	336.1	105.9	29.5
全沙来量(亿 t)		1.486	0.326	10.755	12.077	12.173	3.503
粗沙来量(亿 t)		0.129	0.159	1.451	3.537	1.861	0.887
全沙淤积量(亿 t)		−3.118	0.037	−0.651	1.295	4.389	1.661
粗沙淤积量(亿 t)		−0.31	0.07	0.042	1.958	0.951	0.7
艾山粗沙比例(%)		11	28	11	17	10	11
淤积效率(kg/m³)	铁利段全沙	−16.96	1.98	−2.39	3.85	41.43	56.28
	铁利段粗沙	−1.69	3.75	0.15	5.83	8.98	23.72
	艾利段全沙	−2.25	6.33	−2.75	−1.14	*−1.84*	*−4.81*
	艾利段粗沙	0.11	1.15	−0.78	0.61	−1.26	0.03

注:带 * 者为一场洪水。

表 8-10　2 500～3 000m³/s 洪水条件下黄河下游粗沙冲淤情况

含沙量(kg/m³)	<20		20～80		>80	
粗沙比例(%)	0～20	>20	0～20	>20	0～20	>20
三黑小粗沙比例(%)	6	27	12	37	16	
来水量(亿 m³)	152.3	24.3	335.0	165.4	45.7	
全沙来量(亿 t)	1.909	0.462	13.295	6.315	4.217	
粗沙来量(亿 t)	0.114	0.124	1.65	2.341	0.676	
全沙淤积量(亿 t)	−3.024	−0.042	−1.378	1.263	1.577	
粗沙淤积量(亿 t)	−0.395	0.049	−0.194	1.651	0.334	
艾山粗沙比例(%)	8	15	13	26	15	
淤积效率(kg/m³) 铁利段全沙	−19.85	−1.73	−4.11	7.64	34.53	
铁利段粗沙	−2.59	2.02	−0.58	9.98	7.31	
艾利段全沙	−2.93	1.81	−3.27	−0.40	−0.18	
艾利段粗沙	−0.97	0.42	−0.32	3.58	0.77	

表 8-11　3 000～3 500m³/s 洪水条件下黄河下游粗沙冲淤情况

含沙量(kg/m³)	<20		20～80		>80	
粗沙比例(%)	0～20	>20	0～20	>20	0～20	>20
三黑小粗沙比例(%)	9	28*	11	30	15	21*
来水量(亿 m³)	215.7	8.6	217.8	362.0	92.9	28.5
全沙来量(亿 t)	2.199	0.154	9.842	12.247	8.661	2.48
粗沙来量(亿 t)	0.195	0.043	1.076	3.711	1.292	0.511
全沙淤积量(亿 t)	−3.351	−0.06	−2.093	0.983	1.809	−0.058
粗沙淤积量(亿 t)	−0.392	0.011	−0.578	1.875	0.668	0.033
艾山粗沙比例(%)	18	13	11	21	13	10
淤积效率(kg/m³) 铁利段全沙	−15.54	−6.96	−9.61	2.72	*19.47*	−2.03
铁利段粗沙	−1.82	1.28	−2.65	5.18	*7.19*	*1.16*
艾利段全沙	*−1.07*	*−3.14*	−5.54	−0.14	*1.27*	*−5.52*
艾利段粗沙	*1.49*	*−0.92*	−2.23	1.47	*3.28*	*−8.63*

注:带 * 者为一场洪水。

(3)三黑小粗沙比例降低后,艾山站粗沙比例如何变化的呢? 从粗沙比例的沿程变化(表 8-12)来看,当三黑小粗沙比例小于 20%时,小于 20kg/m³ 含沙量级情况下从三黑小到艾山站粗沙比例会明显增加,平均约增加 43%;20～80kg/m³ 含沙量情况下从三黑小到艾山站粗沙比例变化不大;大于 80kg/m³ 含沙量情况下从三黑小到艾山站粗沙比例略有降低。当三黑小粗沙比例大于 20%时,各种含沙量级情况下从三黑小到艾山站粗沙比例都有降低,降低比例在35%～55%之间。似乎不管三黑小粗沙比例如何变化,到达艾山的粗沙比例总在10%～25%之间。图8-27进一步绘制了不同三黑小粗沙比例、不同三黑小含沙量级情况下艾山站粗沙比例与三黑小粗沙比例的关系,可以看出,在每一种情况下,艾山站粗沙比例都与三黑小粗沙比例成正比关系,即三黑小粗沙比例高时艾山站的粗沙比例也高,三黑小粗沙比例低时艾山站的粗沙比例也低。因此,减少三黑小的粗沙比例后,到达艾山的粗沙比例也将减小。但减小的幅度不同,与图中45°线大致平行的两个组次(含沙量20～80kg/m³时)艾山站粗沙降低的幅度与三黑小的减小幅度大致相同;小于45°线的组次(含沙量大于80kg/m³、粗沙比例大于20%),当三黑小粗沙比例降低时艾山粗沙比例降低数量有限;其余情况都是艾山粗沙比例降低幅度大于三黑小粗沙降低比例。因此,单从艾山粗沙比例降低情况来看,拦粗排细应当优先考虑含沙量小于20 kg/m³、含沙量大于80kg/m³且粗沙比例小于20%的情况,以及含沙量20～80kg/m³且粗沙比例大于20%的洪水,如表8-12中双线框的情况。

表 8-12 1 000～3 500m³/s洪水黄河下游粗沙比例沿程变化

流量级(m³/s)	含沙量(kg/m³)	< 20		20~80		> 80	
	粗沙比例(%)	0~20	> 20	0~20	> 20	0~20	> 20
1 000~1 500	三黑小粗沙比例(%)	9	30	10	33	16	27
	艾山粗沙比例(%)	19	15	10	19	13	12
1 500~2 000	三黑小粗沙比例(%)	8	29	12	27	15	25
	艾山粗沙比例(%)	16	23	12	17	11	12
2 000~2 500	三黑小粗沙比例(%)	9	49*	13	29	15	25
	艾山粗沙比例(%)	11	28	11	17	10	11
2 500~3 000	三黑小粗沙比例(%)	6	27*	12	37	16	
	艾山粗沙比例(%)	8	15	13	26	15	
3 000~3 500	三黑小粗沙比例(%)	9	28*	11	30	15	21*
	艾山粗沙比例(%)	18	13	11	21	13	10
平均	三黑小粗沙比例(%)	8.2	32.6	11.6	31.2	15.4	24.5
	艾山粗沙比例(%)	14.4	18.8	11.4	20	12.4	11.3

注:带 * 者为一场洪水。

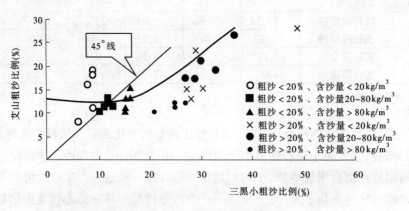

图 8-27 艾山与三黑小粗沙比例关系

8.4 结语

(1)汛期洪水艾利段粗沙淤积量占该河段同期淤积总量的90%以上,粗沙是洪水淤积的主要成分。汛期1 000~3 500m³/s流量级洪水粗沙淤积量较大,其中1 000~2 000m³/s流量级洪水淤积量最大。

(2)三黑小低含沙量、高含沙量、小流量时艾利段淤积严重,三黑小粗沙比例大时铁利段、艾利段淤积较为严重。艾利段淤积较为严重的三黑小水沙条件是:流量1 000~2 500m³/s、含沙量小于30kg/m³和大于80kg/m³的洪水,粗沙比例大于20%时洪水淤积会更加严重。

(3)对于粗沙而言,汛期洪水2 500m³/s以上流量、小于20kg/m³含沙量,即大(流量)(相对)清水时铁利段以及艾利段河段均表现为冲刷;2 500m³/s以下流量、小于20kg/m³(小清水)时铁高或铁艾段冲刷,艾利段淤积;含沙量为20~80kg/m³的中水(全沙水沙搭配接近饱和)时铁利段淤积,但全沙铁利段冲淤变化不大且艾利段还略有冲刷;含沙量为80kg/m³以上的浑水时铁高或铁艾段淤积,艾利段有冲有淤;高含沙量(特浑水)时铁高或铁艾段多淤,艾利段少淤。因此,控制2 500m³/s以下流量的小清水和特浑水最为重要,控制3 000m³/s以下的小中水和浑水、中中水和浑水较为重要。

(4)艾利段冲淤与高艾段冲淤呈负相关。一般而言,高艾段冲淤变化不大时,艾利段冲淤变化也不大。高艾段淤积时,艾利段冲刷;高艾段冲刷时,艾利段淤积。

(5)多数情况下,三黑小粗沙比例大的洪水,其全沙或粗沙铁利段或艾利段的淤积效率都大于三黑小粗沙比例小的洪水。三黑小粗沙比例较高时,通常铁利段全沙以及粗沙淤积效率较大,艾利段的淤积效率也较大。因此,拦截粗沙、降低粗沙比例对下游河道的减淤可能是有效的。

参 考 文 献

[1] 齐璞,等.黄河水沙变化与下游河道减淤措施.郑州:黄河水利出版社,1997

[2] 钱宁.黄河中游粗泥沙来源及其对黄河下游冲淤的影响.见:河流泥沙国际学术讨论会论文集.北京:光华出版社,1980

[3] 钱意颖,等.黄河泥沙冲淤数学模型.郑州:黄河水利出版社,1998

[4] 尹学良.黄河下游的河性.北京:中国水利水电出版社,1995

[5] 张仁,等.拦减粗泥沙对黄河河道冲淤变化影响.郑州:黄河水利出版社,1998

[6] 赵文林.黄河泥沙.郑州:黄河水利出版社,1996

第九章　高含沙水流概述

9.1　现象

　　高含沙水流运动是一种含沙浓度较高的特殊水流运动现象,既有别于含沙浓度较低的挟沙水流和清水水流,又有别于在坡度较陡的山区河流上所发生的泥石流。高含沙水流不仅发生在我国的黄河干支流等多沙河流,而且在世界其他地方也观测到了高含沙水流。例如在美国西部的半干旱地区,不少河流都出现过高含沙水流。在新墨西哥州的Rio Grande 河上曾观测到了含沙量达 $200kg/m^3$ 的高含沙水流(Nordin 等,1963)。在前苏联也曾观测到含沙量在 $380kg/m^3$ 的高含沙水流,发现由于细颗粒的存在,水流输沙能力会显著增加。欧洲的阿尔卑斯山区也曾发生过每立方米含沙量达数百千克的洪水(Engiazaroff,1969)。菲律宾 1991 年火山爆发后的大量火山灰进入附近的河流,使不少河流发生了含沙量超过 $1\,000kg/m^3$ 的灾害性洪水(Bradley, J.B., 1982)。

　　我国的高含沙水流现象以黄河流域黄河中游的高含沙水流最为突出,在其他流域也有高含沙水流发生。在我国的黄河干流及中游地区的一些支流,汛期经常发生高含沙水流,有记载的最高含沙量在 $1\,500 \sim 1\,600kg/m^3$ 之间,相当于体积比含沙量56.6% ~ 60.4%,流体密度在 $1.9 \sim 2.0t/m^3$ 之间。我国其他地域也有高含沙水流的记载,另据报道(许炯心,1992),华南地区某一小流域的侵蚀模数高达 39 万 $t/(km^2 \cdot a)$,曾经出现过的高含沙水流的含沙量可达到 $1\,300kg/m^3$。

　　黄河中游地处黄土高原,千沟万壑中以黄土为主要组成成分,黄土质地均匀,粉沙含量占 60% ~ 70%,缺乏团粒结构,孔隙率多在 40% 左右,上下节理非常发育,抗冲能力极差。一旦暴雨来临,雨水冲击泥沙并挟带相当部分的泥沙到小溪山涧,汇集于川流河水,形成含沙浓度较高的高含沙水流。成语"泾渭分明"、"泾水一升、其泥数斗",正是这一事实的写照。

　　黄河干支流的高含沙水流不仅在基本物理特性、流动特性方面表现出与一般低含沙水流有明显差异的特性,而且在河床演变方面也表现出性质相似但数量存在明显差异的特点。黄河干支流高含沙洪水在河道演进过程中,水沙运动与河床演变有很多区别于低含沙水流的现象,如洪水异常涨落现象、"揭河底"或剧烈冲刷现象等。

9.1.1　高含沙洪水的水位迅速涨落现象

　　高含沙洪水通过下游宽浅河道时,常常表现为水位变化相当剧烈。这种变化表现为两个方面:一方面,随着洪水的上涨,泥沙在边滩和滩地大量淤积,河槽束窄,造成洪水位明显抬高;如 1973 年 8 月 30 日花园口站 $5\,020m^3/s$ 的水位为 94.18m,比 1970 年 8 月 $5\,000m^3/s$ 流量水位 93.60m 高 0.58m(齐璞,1984);1992 年 8 月,花园口断面 $6\,260m^3/s$ 流量下水位达到 94.33m,比 1982 年 8 月 $15\,300m^3/s$ 洪峰流量的水位 93.99m 还要高出 0.34m(赵业安等,1997)。另一方面,当水流流量较大时,随着河槽的束窄,水流集中归槽,使主槽产生明显冲刷,又会使相同流量下洪水位降低。如 1977 年 7 月 8 日至 11 日黄河下游出现了一次高含沙洪水,洪峰流量为 $8\,100\text{m}^3/\text{s}$,造成主槽强烈冲刷,使主槽平均河底高程和最深点高程均下降 0.5m 以上,洪峰流量时的水位为 92.92m,比 1973 年 8 月下旬的 $5\,020\text{m}^3/\text{s}$ 洪峰流量的水位 94.18m 低 1.26m。

最突出的情况是 1933 年发生的黄河高含沙洪水,当时潼关的含沙量在 $400\sim500$ kg/m^3 之间,流量是 $23\,000\text{m}^3/\text{s}$。水量大、含沙量高,两害同时相遇,水位猛涨,造成下游从孟县到陶城铺河段决口 57 处之多。

9.1.2 主槽"揭河底"或剧烈冲刷现象❶

伴随着水位的剧烈变化,河床也会产生剧烈变化。"揭河底"现象就是黄河干支流河床发生剧烈冲刷的见证。与一般冲刷相比,有两个明显的差异,一是冲刷数量上的差异,一是冲刷现象本身的差异。"揭河底"现象表现为不仅沿程冲刷了河床的大量淤积物,而且还能够将其挟带输送,有的甚至还将大片的淤积物掀起至水面。

高含沙水流的剧烈冲刷力可能与以下几个因素有关:

(1)水流的非恒定性。一方面,相同径流量时,变幅大的流量过程,其造床能力大于均匀流量过程的;另一方面,洪水波的沿程传播加大了水流对河床的剪应力。

(2)高含沙水流的密度比清水大。密度的增加一方面增大了水流的动量或剪应力,另一方面也使泥沙承受更大的浮力,使床面泥沙容易被冲起,冲起的泥沙容易被带走。

(3)泥沙大小与组成。一方面,黄河上的泥沙组成较细,泥沙一旦起动便很快进入悬浮状态。另一方面,高含沙水流及细颗粒都会增加水流的黏性,使床沙一旦起动和悬浮,就很容易被挟带而不再落淤。

(4)反馈与加剧作用。含沙量大—密度和黏性增大—冲刷—含沙量进一步增大。

9.1.3 高含沙洪水的强烈堆积现象

高含沙水流是在一定来水来沙和边界条件下水流挟带大量泥沙的运动,而一旦这种条件受到影响,高含沙水流将会发生相应的变化。高含沙洪水的强烈堆积现象正是边界条件发生变化后,水沙运动难以维持的结果。例如由于黄河下游比降变缓、断面变化等原因,从 1969 年到 1974 年的 26 次洪水中,四次高含沙洪水就造成黄河下游泥沙淤积 13.7亿 t,占 26 次洪水全部淤积量的 2/3 还多(钱宁等,1987)。又如美国圣海伦斯火山喷发引起的高含沙水流使附近的一些河流堵塞严重。在考利兹河,平滩流量从 $1\,986\text{m}^3/\text{s}$ 降低到 $369\text{m}^3/\text{s}$,造成附近地区的严重洪水灾害(Bradley,1983)。

9.1.4 主流集中规顺河势现象

黄河下游有"大水出好河"之说,高含沙洪水更是如此。高含沙洪水期间,在游荡型河段水流往往由几股归并成一股,主流集中;同时由于高含沙水流密度高,惯性更大,主流集中规顺后往往造成较大的河势变化,如主流居中、切割边滩或洲滩,引起河势的进一步变化,甚至造成河道整治工程出险。例如 1977 年 7 月 9 日,花园口河段通过高含沙洪峰(花园口站流量超过 $8\,000\text{m}^3/\text{s}$,含沙量超过 $500\text{kg}/\text{m}^3$)后,河势变化较大。洪峰前主流紧靠南裹头(花园口之上游),北岸马庄工程距主流较远,但洪水过后,主流移至北岸,顶冲马庄

---

❶ 匡尚富等通过室内水槽试验,认为所谓"揭河底"就是高强度的冲刷,此后"揭河底"就是剧烈冲刷的观点得到了认可。

工程上段。之后,主流又以近 90°的角度顶冲南岸花园口险工,同时八堡断面处原有三股河合为一股。以下河段也随之发生了较大变化,使杨桥险工 17～21 号坝及护岸工程相继出险,坝岸坍塌超过 200m,抢护 7 天 7 夜,险情才被控制(张林忠等,1999)。

9.1.5 高含沙水流的长距离输送现象

高含沙水流水沙运动与河床演变的这些特殊性对防洪的影响最大,其不确定性和突发性在某种程度上类似于泥石流。另外一方面,高含沙水流还具有以少量之水挟带巨量泥沙的特性,许多治黄专家都梦想利用高含沙水流的这一特性来处理黄河源源不断的泥沙,让母亲河不再是中华民族的忧患。

实际上,长距离输送也是高含沙水流的一个重要现象。黄河中游引黄灌区中曾出现过多次高含沙水流长距离输送而不发生淤积的现象。例如 1969 年引洛灌区中干渠输送含沙量为 848kg/m³ 的高含沙水流,输送距离 40km,历时 22.5h,渠道比降为 1/2 000～1/2 500。又如 1974 年宝鸡峡引渭干渠将 400～500kg/m³ 的高含沙水流输送到 100km 以外,渠道比降仅为 1/4 000～1/5 000(陕西省高含沙引水试验小组,1976),其含沙量在输送过程中沿程几乎不变。还有,1975 年渭惠渠高含沙水流(含沙量 700kg/m³)输沙 50km 而不淤等。

天然河道中来水来沙与边界条件都较渠道为复杂,但也有不少高含沙水流长距离输送的实例。例如 1977 年 8 月 7 日到 10 日,渭河下游输送的高含沙水流输送距离为 100km 左右,最大含沙量达到 800kg/m³,而河道比降也只有 0.5‰或更小。同年 8 月 7 日 8 时到 12 时,三门峡出库平均含沙量为 780kg/m³ 左右,持续 4h,到达小浪底后,平均含沙量在 760kg/m³ 左右,说明高含沙水流长距离输送而基本上不淤。

9.2 定义

高含沙水流的定义是随着对高含沙水流现象认识的深入而在不断地变化着。一般认为高含沙水流是指其含沙浓度超过 100kg/m³ 的水流(张瑞瑾,1978;王兆印,1984)。随着对细颗粒泥沙在高含沙水流中所起作用的进一步认识,在高含沙水流的定义中强调了细颗粒的作用。认为高含沙水流是由一定含量的细粉沙及黏土作为骨架的挟沙水流,并取日平均含沙量大于 400kg/m³ 的水流作为高含沙水流(钱宁等,1980、1989)。

钱意颖等(1993)认为,细颗粒含量较多的高含沙水流为牛顿体,可以近似地用宾汉模型描述。当含沙量小于 400kg/m³ 时,仍属于挟沙水流,泥沙颗粒依靠水流的紊动而悬浮;含沙量再高时,由于黏性大,粗颗粒不再分选,水沙组成一相均质浑水参与运动,这时不存在水流挟沙力问题,只是均质浑水克服阻力而流动的问题。

在低含沙水流情况下,水流挟带泥沙的能力遵循某一个规律,随着含沙量的不断增加,泥沙在水流中所占的比例越来越大,对水流的影响也越来越大。当含沙量超过某一数值后,这种量变终于形成质变,水流挟带泥沙的能力将不再遵循上述规律。如在低含沙水流情况下,水流含沙量与水沙综合因子 $V^3/gh\omega$ 呈某一线性关系;当含沙量超过 100 kg/m³ 后,情况发生变化,如图 9-1 所示。许炯心(1999)从能耗率角度出发,认为含沙量小于 100kg/m³ 以前能耗率随含沙量的增加呈增加趋势;超过 100kg/m³ 之后呈减小趋势,如图 9-2 所示。因此,取含沙量 100kg/m³ 作为低含沙水流与高含沙水流的分界是合适的。

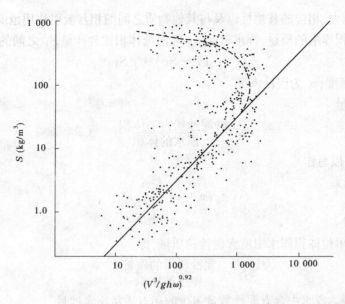

图9-1　从含沙量与水沙综合因子关系区别低含沙水流与高含沙水流

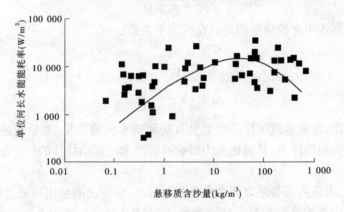

图9-2　能耗率与含沙量的关系(许烔心,1999)

实际上,高含沙水流是一定来水来沙条件以及河床边界条件下所形成的一种水流现象,既要重视所含泥沙的粗细,又要考虑产生高含沙水流所需要的边界条件。因此,高含沙水流是挟带有一定含量黏性细颗粒的水流在某种水沙与边界条件下所形成的一种含沙浓度较高的水流现象。

9.3　高含沙水流基本特性

高含沙水流是指所含泥沙浓度较高的一种浑水水流。随着浑水中所含泥沙含量的增加,浑水的性质在某些方面会与清水有所不同,当含沙量增加到一定程度以后,这种不同会从量变到质变,使浑水性质产生根本性的变化。这些性质包括浑水的密度、黏性等。

9.3.1　浑水的密度

密度是衡量一种物质的质量、惯性和万有引力特性的基本参数,某种物质的密度越大,其质量也就越大,相应的其惯性以及与其他物质之间的相互吸引作用也就越大。浑水密度是指单位体积浑水的质量,浑水密度 ρ_m 与水流体积比含沙量 S_V 之间的关系为

$$\rho_m = \rho_0(1 - S_V) + \rho_s S_V \tag{9-1}$$

式中:ρ_0 为清水密度;ρ_s 为泥沙密度。

体积比含沙量

$$S_V = \frac{泥沙所占的体积}{浑水的体积} \tag{9-2}$$

式(9-1)还可以写作

$$\rho_m = \rho_0 + \left(1 - \frac{\rho_0}{\rho_s}\right)S \tag{9-3}$$

式中:S 为含沙量。

含沙量是指单位体积浑水中所含泥沙的质量,即

$$S = \frac{泥沙所占的质量}{浑水的体积} \tag{9-4}$$

除此之外,表达浑水中含有泥沙数量多少的还有质量比含沙量

$$S_W = \frac{泥沙所占的质量}{浑水的质量} \tag{9-5}$$

以上三种表达浑水中含沙数量的方式存在如下关系:

$$S = \rho_s S_V \tag{9-6}$$

$$S_W = \frac{W}{\rho_0 + \left(1 - \frac{\rho_0}{\rho_s}\right)S_V} \tag{9-7}$$

与清水水流相比,浑水水流密度的增加会直接影响水流的质量、动量或能量,同时还会加大对所含固体物质的浮力,从而也成为影响高含沙水流运动特性的一个重要因素。

9.3.2 黏性

当水流流动时,水流内部各层之间会发生相对运动,各层之间会出现成对的内摩擦力或切力来阻止水流内部的这种相对运动或变形,如图 9-3 所示。水流在运动状态下这种抵抗剪切变形的能力就是水流的黏性。抵抗变形的能力越大,水流的黏性也越大。

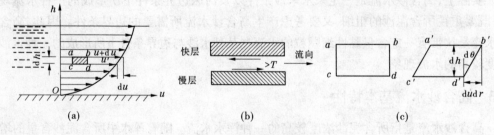

图 9-3 水流黏性示意图

实验表明,这种抵抗剪切变形的能力或水流的内摩擦力 T 与相邻两个流层间的接触面积 A 和流速梯度 $\dfrac{\mathrm{d}u}{\mathrm{d}t}$(即沿 h 方向单位距离流速的变化)之积成正比,其比例系数 μ 就是黏性系数或动力黏滞系数。这一结论就是牛顿液体内摩擦力定律,可表达为

$$T = \mu A \frac{\mathrm{d}u}{\mathrm{d}h} \tag{9-8}$$

若用剪切应力 τ 代表水体单位面积上的内摩擦力,则

$$\tau = \mu \frac{\mathrm{d}u}{\mathrm{d}h} \tag{9-9}$$

上式被称为流变方程,服从这一方程的流体为牛顿体。动力黏滞系数 μ 与运动黏滞系数的 ν 关系是

$$\mu = \rho_0 \nu \tag{9-10}$$

当水流中含有泥沙后,一方面,水流的黏性会发生变化,另一方面,流变方程的形式也会有所改变,其一般形式为

$$\tau = \tau_B + K \left(\frac{\mathrm{d}u}{\mathrm{d}h} \right)^n \tag{9-11}$$

式中:τ_B 为宾汉极限剪应力;K 为稠度系数;n 为指数。

对于两相流体而言,其流变方程可以写成

$$\tau = \tau_{屈服} + \tau_{离散} + \tau_{撞击} + K \left(\frac{\mathrm{d}u}{\mathrm{d}y} \right)^n \tag{9-12}$$

其中,等号右端的前三项分别为屈服应力、离散应力、撞击应力,构成了所谓的"表观宾汉屈服剪应力"。朱鹏程(1995)曾提出,可以根据这三项应力的相对大小来区分牛顿体与非牛顿体、高含沙水流与泥石流。当离散应力与撞击应力之比大于 10 时为挟沙水流,属于牛顿体;当离散应力与撞击应力之比小于 10 而大于 1 时为伪一相浑水;当离散应力与撞击应力之比小于 1 而大于 0.1 时为高含沙水流;当离散应力与撞击应力之比小于 0.1 以后为泥石流。

9.3.3 黏性系数和宾汉极限应力的计算

泥沙含量的增加不仅加大了流体的密度,而且还直接影响着流体的黏性。一方面,泥沙及其组成对高含沙水流黏性的影响比较复杂,主要表现在:①黏性细颗粒和非黏性粗颗粒对黏性均有影响;②均匀沙与非均匀沙的影响不一致;③有时泥沙颗粒大小分布范围较广。另一方面,为了测定黏性系数或流变参数,常常需要进行高含沙水流的黏性试验。但是因为所用仪器的不同、试样采集的变化、操作方法的差异、数据处理的不一等,往往导致试验结果上较大的差异。费祥俊模型(费祥俊,1991)是目前使用较为广泛的黏度计算模型,其计算内容包括以下相对黏度和宾汉极限剪应力两个部分。

相对黏度为悬浮液与清水动力黏性系数之比

$$\mu_r = \frac{\mu_m}{\mu_0} = \left(1 - k \frac{S_V}{S_{Vm}} \right)^{-2.5} \tag{9-13}$$

其中,修正系数

$$k = 1 + 2.0 \left(\frac{S_V}{S_{Vm}} \right)^{0.3} \left(1 - \frac{S_V}{S_{Vm}} \right)^4 \tag{9-14}$$

泥沙极限浓度(即悬浮液黏性系数接近无穷大时的颗粒浓度)

$$S_{Vm} = 0.92 - 0.2 \lg \sum_{i=1}^{n} \frac{\Delta P_i}{d_i} \tag{9-15}$$

其中,分组粒径 d 以 mm 计。

悬浮液的宾汉极限剪应力不仅与含沙量及其组成有关,而且还与从牛顿体过渡到宾汉体的临界含沙量有关。宾汉极限剪应力可以表达为

$$\tau_B = 0.098\exp\left(8.45\frac{S_V - S_{V0}}{S_{Vm}} + 1.5\right) \tag{9-16}$$

其中,宾汉极限剪应力 τ_B 以 N/m² 计,临界含沙量

$$S_{V0} = 1.26S_{Vm}^{3.2} \tag{9-17}$$

对于挟沙紊流,还需要考虑有效雷诺数 Re_m 对它的修正,这样,紊动宾汉极限剪应力

$$\tau_{Bt} = \begin{cases} 0 & Re_m \geqslant 40\ 200 \\ \tau_B\left[1 - \left(\frac{Re_m - 200}{40\ 000}\right)^{0.25}\right] & 200 < Re_m < 40\ 200 \\ \tau_B & Re_m \leqslant 200 \end{cases} \tag{9-18}$$

其中,有效雷诺数

$$Re_m = \frac{4\rho_m VR}{\mu_m\left(1 + \dfrac{\tau_B R}{2\mu_m V}\right)} \tag{9-19}$$

式中:ρ_m 为包括泥沙在内的浑水密度;V 为平均流速;R 为水力半径。

9.4 运动特性

泥沙的沉速是研究高含沙水流的一个重要基本参数,同时也是一个复杂多变的参数。泥沙的沉速直接依赖于泥沙颗粒的大小及其组成情况,还与水流的含沙量有关。对于非黏性的粗颗粒泥沙(粒径大于 0.01～0.03mm),里查森－扎基曾提出如下公式(Richardson and Zaki,1954)

$$\frac{\omega}{\omega_0} = (1 - S_V)^m \tag{9-20}$$

式中:指数 m 与沙粒雷诺数及泥沙级配等有关(钱宁,1989),多在 2 到 8 之间变化;ω 为颗粒的群体沉速;ω_0 为单个颗粒在清水中的沉速,其大小可利用武汉水院公式(武汉水院,1981)

$$\omega_0 = \sqrt{\left(13.95\frac{\nu_0}{d}\right)^2 + 1.09\frac{\rho_s - \rho_0}{\rho_0}gd} - 13.95\frac{\nu_0}{d} \tag{9-21}$$

确定。其中,ν_0 为清水水流的运动黏性系数;d 为泥沙粒径;g 为重力加速度。

非黏性粗颗粒在絮凝体中的沉降情况以及混合沙或非均匀沙的沉降情况都随絮凝体的形式以及含沙浓度的不同而有所不同,从现阶段的认识以及实用的观点来看,为了估算各粒径组在悬浮液中的沉速,可以首先求出包括粗细颗粒在内的悬浮液的流变参数和浓度,再从式(9-19)求得雷诺数,然后利用清水中的阻力系数与雷诺数关系曲线试算各粒径组粗颗粒的沉速(万兆惠等,1987;费祥俊,1992)。

这意味着只要考虑到含沙浓度对水流密度、黏性等因素的影响,就可以直接采用与清水情况下的泥沙沉速公式形式一样的公式计算非均匀沙粗颗粒的沉速。实际上这一方法

与用式(9-20)进行求解的方法相似甚至是一致的,因为考虑了浑水密度、黏性等的影响之后,可以导出式(9-20)(万兆惠等,1978)。

　　高含沙水流因颗粒大小与组成的差异,可能会形成两种运动模式。一种是全部泥沙都呈中性悬浮,在垂线方向上泥沙的浓度分布十分均匀,即所谓伪一相流;另一种是泥沙在垂线方向上的分布有明显的梯度,在流速较小时泥沙存在分选落淤的两相流,如图9-4所示。最近研究表明,黄河下游河道的高含沙水流通常属于两相高含沙水流(赵业安等,1997;费祥俊,1998)。

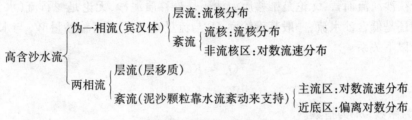

图9-4　高含沙水流分类

　　紊流型两相高含沙水流流速分布在主流区仍然可以用对数流速分布公式描述,在河床附近则偏离对数流速分布;阻力由黏性阻力、紊动阻力和推移质及沙波阻力三部分组成。

参 考 文 献

[1] 钱宁.高含沙水流运动.北京:清华大学出版社,1989
[2] 钱宁,万兆惠.泥沙运动力学.北京:科学出版社,1983
[3] 钱宁,张仁,周志德.河床演变学.北京:科学出版社,1987
[4] 钱意颖,等.高含沙均质水流基本特性的实验研究.见:齐璞,等主编.黄河高含沙水流运动规律及应用前景.北京:科学出版社,1993
[5] 武汉水利电力学院河流泥沙工程学教研室.河流泥沙工程学.北京:水利电力出版社,1981
[6] 王兆印.高含沙水流运动机理的实验研究.水利水电科学研究院博士论文,1984
[7] 朱鹏程.浑水、含沙水流、泥石流的鉴别.泥沙研究,1995(2)

第十章 高含沙水流的输沙特性

10.1 水沙搭配关系

10.1.1 输沙关系

对于挟沙河流而言,无论是推移质泥沙还是悬移质泥沙,无论是泥石流(水力类)、高含沙水流还是低含沙水流,一般其输沙率 Q_s 与流量 Q 之间或者输沙量 W_s 与水量 W 之间会符合以下关系

$$Q_s = KQ^m \tag{10-1}$$

或

$$W_s = KW^m \tag{10-2}$$

式中:K 为系数;m 为指数。

这一关系可以从水流输沙与水流能量之间的关系推导得出。当然对于同一地点而言,两个式子中的系数和指数是不同的。一般而言,推移质的指数大于悬移质的指数,粗颗粒挟沙水流的指数大于细颗粒挟沙水流的指数。当挟沙水流为两相流时,指数 m 较大,当挟沙水流为宾汉体时,指数 m 较小。

对于渭河下游细沙河流而言,在含沙量较小时水流可能具有宾汉极限剪应力而呈现出宾汉流体性质;对于陕北地区的粗泥沙支流,当含沙量较大时才能达到宾汉流体的性质。

10.1.2 水沙关系的变化之一

对黄土丘陵沟壑区的高含沙水流研究表明,不管是主沟还是支沟,其水沙关系线可以分三段直线来描述,如图 10-1 所示(王兴奎、钱宁等,1982)。Ⅰ区含沙量小于 400kg/m³,水沙关系指数 m 多在 1.5 以上;Ⅲ区含沙量大于 400kg/m³,水沙关系指数 m 在 1 左右;Ⅱ区的水沙关系指数 m 介于二者之间。

这说明含沙量越大,其水沙搭配指数 m 越小。实际上,随着总含沙量的增加,细颗粒含沙量也呈增加趋势,如图 10-2 所示(王兴奎、钱宁等,1982)。因此可以说,水沙搭配指数 m 的变化与细颗粒泥沙含量有一定的关系。

焦恩泽(1988)在分析蒲河高含沙水流输沙特性时曾经提出按输沙率与流量关系的指数不同将高含沙水流分为三个区域:当含沙量大于 400kg/m³、指数 m 等于 1 时为宾汉流体高沙区;当含沙量小于 100kg/m³、指数 m 大于 2 时为一般水流挟沙区;当含沙量在 100~400kg/m³ 之间、指数 m 介于 1 和 2 之间时为宾汉流体低沙区。并认为当小于 0.01mm 的细颗粒含沙量超过 150kg/m³ 以后该河道可以输送上游的全部来沙。需要说明的是,细颗粒含沙量与总含沙量也存在与图 10-2 相似的关系,如图 10-3 所示(焦恩泽,1988)。

其他小流域的高含沙水流资料也有类似旁证。如马莲河(泾河支流)的水沙关系中,全年的平均水沙关系指数为 1.60,汛期(3~9 月)的指数为 1.21,而场次洪水的则更小,接近于 1,如表 10-1 所列(冉大川,1992)。全年的泥沙组成较粗,而场次洪水的泥沙组成较细,这从另外一个侧面说明了泥沙组成对水沙关系指数的影响。

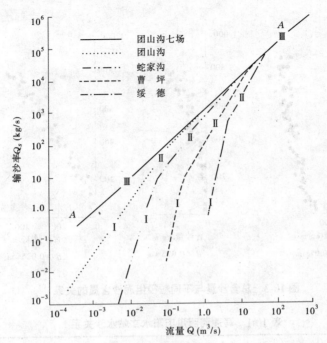

图 10-1　黄土丘陵沟壑区沟道输沙率 Q_s 与流量 Q 的关系

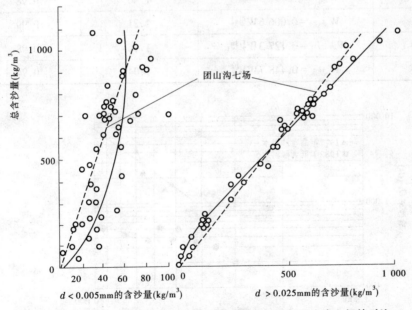

图 10-2　岔巴沟不同含沙量粗细泥沙含量与团山沟七场的对比

　　黄河下游各站各年的水沙搭配关系指数 m 一般在 2 左右或稍大于 2,场次洪水则变化较大。图 10-4 绘制了小浪底站的水沙关系,1977 年 8 月发生的高含沙洪水,其洪水主要来源于粗沙来源区,1982 年 8 月初的洪水虽然是低含沙洪水,但是洪水粗沙来源区与细沙来源区均有一定洪水汇入,细颗粒含量可能多于 1977 年的高含沙洪水,因而其水沙关系指数较小。

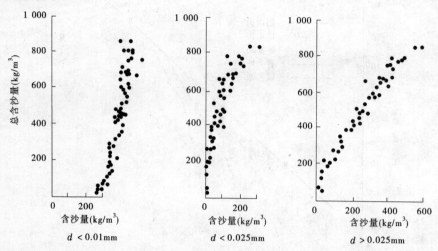

图 10-3　总含沙量与不同粒径组泥沙含量的关系

表 10-1　马莲河西川庆阳水文站水沙关系

时期	水沙关系	指数 m	相关系数
全年	$W_{s年} = 0.000\,96 W_{年}^{1.60}$	1.60	0.98
汛期	$W_{s汛期} = 0.006\,6 W_{汛期}^{1.21}$	1.21	0.99
7、8 月份	$W_{s7\sim8月} = 0.127\,3 W_{7\sim8月}^{1.16}$	1.16	0.98
场次洪水	$W_{s洪水} = 0.448\,7 W_{洪水}^{1.04}$	1.04	0.94

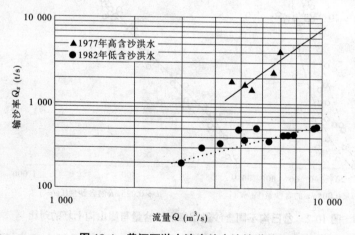

图 10-4　黄河下游小浪底站水沙输送关系

10.1.3　水沙关系的变化之二

　　黄河中游流域北部为粗泥沙来源区,南部为细泥沙来源区,这两种类型区域的高含沙水流恰好可以为我们提供验证资料。下文以两个例子来说明细颗粒泥沙在高含沙水流输沙中的作用。

　　来自黄河中游北部粗泥沙来源区的高含沙洪水可以 1972 年为例。该年 7 月,皇甫川发生高含沙洪水,皇甫站洪峰流量为 8 400m³/s,最大含沙量为 1 210kg/m³,悬移质泥沙级配中小于 0.01mm 的细颗粒泥沙仅仅占 4.1%。到达干流黄河义门站后,最大含沙量降到 792kg/m³,由于粗颗粒泥沙的落淤,小于 0.01mm 的细颗粒泥沙增加到 11.8%。细颗粒含量开始只有 50kg/m³ 左右,所以在皇甫到义门站之间的峡谷河段仍有相当数量的粗泥沙淤积,淤积量占皇甫川来沙量的 1/5 稍强。粗颗粒泥沙淤积之后,小于 0.01mm 的细颗粒含量显著增大,到达义门站时为 11.8%。细颗粒含量的加大会使输沙指数 m 减小,从而促使高含沙水流的长距离输送。事实上也正是如此,高含沙洪水在义门以下的峡谷河段没有发生大的淤积,甚至还发生了冲刷(张仁等,1998;赵文林,1996)。

　　图 10-5 和图 10-6 分别为蒲河姚新庄站和杏子河招安站含沙量与流量关系,可以看出,当含沙量小于某一数值(400～600kg/m³)时,含沙量与流量的某一较大的指数次方成比例;当含沙量大于该数值以后,含沙量与流量成某一较小的指数关系或者含沙量基本不变,为某一常数。

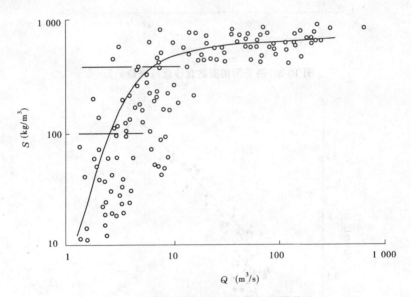

图 10-5　蒲河姚新庄站含沙量与流量关系

　　延河支流杏子河上的王瑶水库在泄水冲刷期间输沙率与流量关系更加明显(图 10-7),可以看出,当流量小于 2m³/s、含沙量小于 400kg/m³ 时,输沙率与流量的某一较大的指数次方成比例;当流量大于 2m³/s、含沙量大于 400kg/m³ 以后,输沙率与流量成某一较小的指数关系。其表达式为(泥沙中值粒径约 0.016mm,平均粒径约 0.050mm)

$$Q_s = 0.05Q^4 \qquad Q < 2\text{m}^3/\text{s} \tag{10-3}$$
$$Q_s = 3.5Q^{1.18} \qquad Q \geqslant 2\text{m}^3/\text{s} \tag{10-4}$$

　　细泥沙来源区的洪水可以 1977 年 8 月渭河的洪水为例进行说明。该场洪水临潼站最大含沙量达到 861kg/m³,悬移质的中值粒径为 0.039mm,小于 0.01mm 的细颗粒泥沙含量占 16%,即细颗粒的含沙量接近 140kg/m³,这场高含沙洪水沿程流经 70 多千米,河

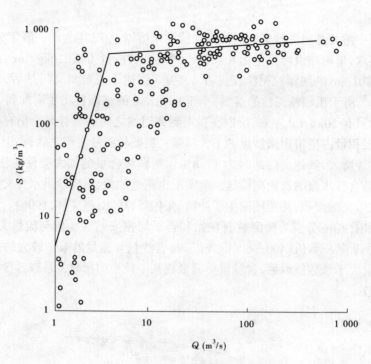

图 10-6　杏子河招安站含沙量与流量关系

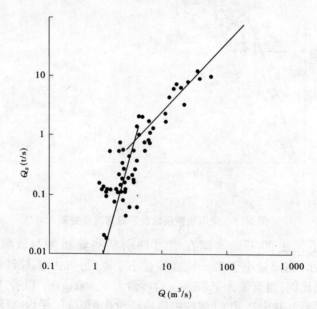

图 10-7　杏子河王瑶水库出库输沙率与流量关系[1]

道比降从 4.5‰减少到 1.5‰,泥沙基本上没有大的淤积。图 10-8 点绘了 1977 年 8 月 7 日至 10 日这场洪水的水沙关系,统计表明,临潼和华县两个站的水沙关系搭配指数都接

---

[1]　陕西省水利电力勘测设计研究院,2002 年,陕西省延安市王瑶水库除险加固工程水沙调节计算专题报告。

近于 1,相关系数分别为 0.99 和 0.98,关系分别为

$$Q_s = 349Q^{1.11} \tag{10-5}$$

$$Q_s = 417Q^{1.08} \tag{10-6}$$

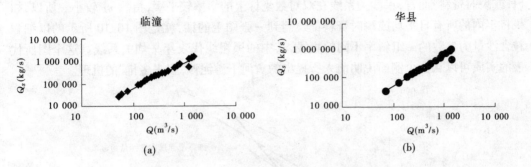

图 10-8　1977 年 8 月渭河水沙关系

图 10-9 为渭河咸阳站 1977 年输沙率与流量关系,可以看出,1~6 月以及 11~12 月的输沙率与流量关系可以近似用图中的曲线代表,水沙关系指数 m 在 4 左右,同流量下的输沙率小于 7~10 月期间的,而且 1~6 月输沙率为最小。7~10 月输沙率明显增大,而且关系线明显存在一个拐点,拐点大概在流量 100m³/s 左右,相当于含沙量在 200 kg/m³ 左右。即当水流流量在 100m³/s、含沙量在 200kg/m³ 以下时,输沙率与流量关系指数较大,m 值在 4~5 之间;当水流流量在 100m³/s、含沙量在 200kg/m³ 以上时,输沙率与流量关系指数较小,m 值接近于 1。

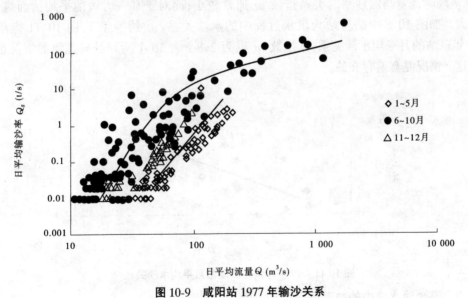

图 10-9　咸阳站 1977 年输沙关系

10.2　"多来多排"输沙机理及其他影响因素

10.2.1　"多来多排"输沙机理

研究表明,同一河流同一河段不同细颗粒含沙量其水沙关系的系数和指数一般不同。

因此,从一个较短时期来看,水沙关系搭配指数为某一变化不大的数值,从一个较长时期来看,水沙搭配关系指数 m 就是一组不同的数值,如图 10-10 所示。例如,从年统计成果(月平均资料)来分析,水沙关系线在双对数坐标上的斜率较陡,指数 m 较大;从场次洪水(日或瞬时资料)而言,水沙关系线在双对数坐标上的斜率较平缓,指数 m 较小。所以,如果将年内的所有日平均或瞬时资料都绘制到一张图上的话,就是图 10-10 所示的以细颗粒含沙量为参数的一组斜率不同的直线,其中的黑粗线代表年平均关系线。这个图所代表的实质可以从一个侧面说明前人所提出的黄河下游泥沙"多来多排"的机理。

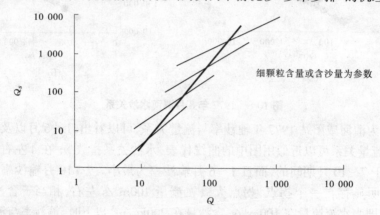

图 10-10　多来多排输沙机理

这表明,水沙关系搭配指数 m 的大小与所取的时段长短有关。对于某一场次洪水而言,水流瞬时流量与输沙率的关系指数 m 通常较小;而对于某一时段的平均值而言,m 会较大。如图 10-8 中临潼站为洪水过程中的水沙关系,m 约等于 1,图 10-11 点绘了 1977 年该站的月平均水沙关系,其指数 m 则为 2.8。表 10-1 所列的马莲河的情况也说明了这一情况是普遍存在的。

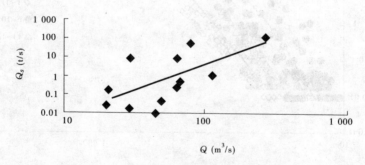

图 10-11　1977 年渭河临潼站月平均水沙关系

10.2.2　高含沙水流中的冲泻质问题

以上资料表明,细颗粒泥沙的含量对高含沙水流的输沙影响较大。当含沙量增加到一定数量,细颗粒泥沙的含量也达到一定含量时,水流可由牛顿体转化为宾汉体。具有宾汉体的高含沙水流,其输沙特性可分为均质流和非均质流两种基本模式。当所含最大粒径的泥沙在高含沙水流中的重量也小于宾汉体极限剪应力所产生的阻力时为均质流,这时泥沙的运动与淤积不发生分选现象,只要克服阻力,高含沙水流就能作为一个整体结构而运动。当不满足这一条件时,则为非均质流。

从黄河干支流高含沙水流的实际情况来看,黄河中游支流既有牛顿体,也存在有非牛顿体,既有均质流,也存在非均质流;而黄河下游的高含沙水流大部分属于非均质的两相紊流,泥沙颗粒靠紊动支持而运动,过水断面扩大或者比降变缓都会造成泥沙的分选沉降、分选淤积。

根据室内试验资料以及黄河干支流的情况,可以勾画出冲泻质与细颗粒含量等的关系如图 10-12 所示。

细颗粒泥沙含量	少⇒多
流体性质	牛顿体⇒宾汉体
水流紊动强度	强⇒弱
均质流现象	弱⇒强
水沙搭配指数 m	大⇒小
冲泻质	少量⇒大量

图 10-12 冲泻质与细颗粒含量的关系

随着高含沙水流中细颗粒泥沙含量的增加,水流由牛顿体转化为宾汉体,水流紊动强度逐渐减弱,悬浮粒径也逐渐增大,使水沙搭配指数 m 逐渐减小,输沙率与流量关系越来越小,冲泻质含量增大。当 m 等于 1 时,输沙率与流量大小无关,或者说含沙量与流量无关,上游来多少泥沙,河段就能够输走多少泥沙。

水沙搭配指数 m 与细颗粒泥沙含量的关系还可以通过不同粒径组泥沙的水沙关系来加以说明。表 10-2 统计了黄河下游主要水文站高含沙洪水不同粒径组泥沙的水沙搭配指数 m 的变化情况(赵业安等,1998),可以看出,小于 0.01mm 的细颗粒泥沙的指数最小,大于 0.1mm 的粗颗粒泥沙的指数最大,而中间粒径组泥沙的指数则介于二者之间。这恰恰说明,因为冲泻质的存在,细颗粒泥沙输沙率受水流流量的影响较小,而粗颗粒泥沙的输沙率则受水流流量影响较大。

表 10-2 黄河下游重要水文站不同粒径组泥沙的水沙搭配指数 m

水文站	泥沙粒径(mm)				
	<0.01	0.01~0.025	0.025~0.05	0.05~0.1	>0.1
花园口	1.5	1.7	1.8	2.1	3.0
高村	1.5	1.7	2.0	2.1	4.0
艾山	1.6	1.9	2.0	2.0	2.9
利津	1.4	1.7	2.1	2.4	2.5

10.2.3 不同河型对输沙的影响

黄河高含沙干支流的主要河型有三类:峡谷型、游荡型和弯曲型。这三类河型具有不同的河床边界条件,因而对输沙的影响也有所不同。已有研究表明(齐璞等,1993;胡一三等,1996;赵文林,1996),高含沙洪水在不同河型河道中的运动具有以下特点:

（1）对于比较狭窄、两岸边界不可动的峡谷型河道，高含沙水流基本上保持"穿堂过"的特点。但在来水来沙或边界条件发生变化后，也会发生冲刷或淤积。

（2）游荡型河道断面宽浅散乱，河床纵比降虽小于峡谷型河道的比降，但一般大于弯曲型河道的比降，水流惯性较大，同时缺乏约束，像一匹难以驾驭的野马，水流的稳定性较差，引起水流输沙的不稳定，造成泥沙的大量淤积，从而大大降低了水流的输沙能力。

（3）弯曲型河道断面较为窄深，通常有明显的滩和槽，河床纵比降小于游荡型河道的比降，而且河床泥沙组成也较细，水流惯性较小而且有河槽的约束，主流通常比较稳定，水流输沙也相对稳定，虽然嫩滩或滩地会有淤积，但主槽在洪水期常常处于冲刷状态，从而能保持或提高水流的输沙能力。

参 考 文 献

[1] 胡一三.中国江河防洪丛书.黄河卷.北京:中国水利水电出版社,1996
[2] 黄河水利委员会水利科学研究所.渭河下游1973年洪水位升高原因的初步分析.见:黄河泥沙研究报告选编.1978
[3] 焦恩泽.蒲河姚新庄以上流域产沙与输送研究.泥沙研究,1988(4)
[4] 梁志勇.水沙和边界条件对高含沙水流输沙稳定性的影响:〔中国水利水电科学研究院博士研究生毕业论文〕.2001
[5] 齐璞,赵文林.黄河下游宽浅河段整治对窄河段冲淤影响的初步分析.人民黄河,1992(2)
[6] 钱宁.高含沙水流运动.北京:清华大学出版社,1989
[7] 王兴奎,钱宁,等.黄土丘陵沟壑区高含沙水流的形成与汇流过程.水利学报,1982(7)
[8] 冉大川.马莲河西川庆阳以上流域高含沙洪水特性研究.见:全国泥沙基本理论研究学术讨论会论文集.1992
[9] 张仁,程秀文,等.拦减粗泥沙对黄河河道冲淤变化影响.郑州:黄河水利出版社,1998
[10] 赵文林.黄河泥沙.郑州:黄河水利出版社,1996

第十一章　高含沙水流泥沙组成与逆行沙浪

挟沙河流所挟带的泥沙常常是具有某种连续的颗粒大小组成,这种组成既取决于来水来沙特性,又取决于河床边界条件。在河床组成变化不大或泥沙供应充足的情况下,泥沙大小及其组成可能会与来水来沙条件存在某种关系,本章将对这种关系进行初步探讨。

11.1　泥沙组成与调整的两种模式

11.1.1　水体分割模式

为了确立非均匀悬移质泥沙的挟沙图形,韩其为曾提出一个水体挟沙假说(韩其为,1989)。设想将单位体积含沙水流中的各粒径组泥沙分别集中,并将此单位水体分成与悬移质粒径组数目相应的几个部分,每一部分水体刚好能挟带一个粒径组的泥沙,每一粒径组泥沙可看做均匀沙。这样,就第 i 个悬移质粒径组泥沙而言,应有如下关系

$$\Delta p_i s_* = k_i s_{i*} \tag{11-1}$$

式中:s_* 为非均匀沙的水流挟沙力;k_i 为输送第 i 粒径组泥沙的水量百分数;s_{i*} 表示第 i 粒径组泥沙的均匀沙挟沙能力。在一般情况下,$k_i \neq \Delta p_i$。将上式改写为

$$k_i = \frac{\Delta p_i}{s_{i*}} s_* \tag{11-2}$$

对 k_i 求和,因为 $\sum_{i=1}^{N} k_i = 1$, 所以有

$$s_* = \left(\sum_{i=1}^{N} \frac{\Delta p_i}{s_{i*}} \right)^{-1} \tag{11-3}$$

若取均匀沙时的水流挟沙力为

$$s_{i*} = k \left(\frac{v^3}{gh w_i} \right)^m \tag{11-4}$$

则式(11-3)可写成

$$s_* = k \left[\frac{v^3}{gh \left(\sum_{i=1}^{N} \Delta p_i w_i^m \right)^{1/m}} \right]^m \tag{11-5}$$

韩其为的这一模式是一个富有理论色彩的假说,为解决非均匀悬移质的水流挟沙力问题提供了依据。在其后来的研究中,已用实测资料对式(11-5)进行了验证,并将其用于数学模型中。

应该指出的是,虽然这一调整模式已用于实际河流,说明其结论是正确地反映了天然河流的实际情况,但我们可以发现韩其为的模式有如下不足:对于两相紊流而言,这个水体分割假说本身没有考虑到水流挟沙的实质,即水流挟沙是水流紊动的结果,而是仅以几何分割水体角度来分配沙量。

林秉南在谈到韩其为这一假说时也曾指出(林秉南,1988),这个水体分割模式似乎未

考虑水体紊动与水流流速分布等的影响,而只考虑了水体的影响,但其结论式(11-5)却是正确的。

11.1.2 紊动模式

悬移质泥沙的运动与水流紊动之间密切相关,悬移质组成的连续分布特性可能与水流紊动速度的连续分布特性有关。按照这一观点,悬移质泥沙组成取决于水流紊动的强弱程度,从运动学或动力学观点,可以建立水流的紊动速度与泥沙沉速的关系。由于紊动速度符合正态分布,所以便可得到悬移质泥沙的级配为(侯晖昌,1982;张红武,1989;詹义正等,1995)

$$P(D) = \frac{2}{\sqrt{\pi}\sigma_v} \int_0^\Omega \exp(-t^2)\mathrm{d}t \tag{11-6}$$

式中:Ω 为泥沙粒径和垂向紊动强度 σ_v 的函数。

这一理论的关键问题在于紊动速度等于 v' 的某一水团是否只能悬浮沉速为 ω 的泥沙;当缺乏与之相应大小沉速的泥沙时,这一水团是否会悬浮小于这一级沉速的泥沙?这样的话,就意味着紊动速度等于 v' 的某一水团能够悬浮与之相比较小的沉速的泥沙,即 $\omega < v'$ 的所有泥沙都可能被悬浮。可能正是因为存在这一问题,才使得利用这一途径所得到的公式不能计算细颗粒含量较大的级配情况,虽然可以选择一个恰当的下限粒径进行弥补(詹义正等,1995)。

11.1.3 高含沙水流的两种极端模式

在讨论高含沙水流时,钱宁等(钱宁、万兆惠,1983)曾经提出了高含沙水流可按照其物质组成的不同,可以有两种极端模式。一种是以细粉沙及黏土等细颗粒为主的高含沙水流,另一种是以细沙以上的粗颗粒为主的高含沙水流。

以细颗粒为主构成的高含沙水流具有非牛顿体的性质,常常可以看做是宾汉体。当含沙浓度较大后,泥沙颗粒之间会形成结构体,颗粒在沉降过程中不会因粒径大小不同而发生分选,而是作为一个整体以清浑水交界面的形式缓慢下沉。在浆液能够流动的情况下,不存在一般意义上所说的挟沙能力问题。

以细沙以上粗颗粒为主构成的高含沙水流,因缺乏细颗粒作为骨架,所以在含沙量不是很高时依然保持牛顿体的性质,即使含沙量增大后会出现宾汉极限剪应力,但其数量较小,所以粗颗粒泥沙在沉降过程中仍存在分选。在含沙量很大进入层流之前,整个高含沙水流仍属于两相高含沙紊流。

在梁志勇所进行的水槽泥浆试验过程中,泥浆浓度曾经达到过 $300\mathrm{kg/m^3}$ 左右,即使在流量较小的情况下($5 \sim 101\mathrm{m^3/s}$)也没有发现任何淤积现象,相当于这里的第一种模式;在梁志勇所进行的未加入泥浆(但含有一定量的细颗粒)的试验过程中,最大含沙量曾经达到过 $800\mathrm{kg/m^3}$ 左右,水流依然表现为两相紊流的性质,相当于或接近于第二种模式(梁志勇,2001)。

黄河干支流的高含沙水流的泥沙调整模式通常介于钱宁等所提出的两个极端模式之间。即,既有细颗粒泥沙作为骨架,又有相当的粗颗粒泥沙。当细颗粒含量较多时,会形成结构体,并与清水一起组成均质浆液的液相,而粗颗粒泥沙则组成固相,整个水流依然保持两相紊流的特点。

最近研究表明(赵业安等,1997),黄河干流含沙量增大后尽管会出现宾汉极限剪应力,但其数量较小,所以通常的高含沙水流仍属于两相高含沙紊流。另外是含沙量增大以后紊流向层流的转化问题,天然河道纵比降一般变化很小,剪应力的增大是通过水深的加大来实现的。因此,在天然情况下,紊动充分消失或完全消失、层移质运动替代悬移质运动而成为输沙主体的情况较难出现(钱宁、万兆惠,1983)。

因此,两相高含沙紊流是黄河干流高含沙水流运动的主要形式。

11.2 沙浪尺度及其可逆性

对不同粗细颗粒组成的泥沙所进行的室内试验研究(梁志勇,2001)表明,高含沙水流的泥沙运动现象(如沙波、挟沙能力等)可以按照其泥沙组成不同分成两类。一类是含有泥浆、以细颗粒和水组成液相、粉沙或细沙以上的粗颗粒为固相的两相紊流或层流或者伪一相流,另一类是细颗粒含量较少、以水体为液相、以细沙以上的粗颗粒为固相的两相紊流。

比较二者的加沙淤积饱和试验过程发现,其主要差异有以下几点。

11.2.1 淤积过程与饱和含沙量

在水流含有泥浆的情况下进行加沙(粉沙或细沙),泥沙较难于落淤,直到含沙量较高达到饱和时才会淤积;在清水加沙试验过程中,泥沙很快出现分选淤积,随着加沙的进行,含沙量不断增大,河床淤积物也不断增多。例如,在梁志勇所进行的有无泥浆的高含沙水流的对比试验中,含有泥浆的水流中,在泥浆浓度 $100kg/m^3$ 左右时开始加沙,直到含沙量超过 $700kg/m^3$ 以后才开始淤积,试验最大的饱和含沙量在 $800\sim1\,000kg/m^3$ 之间;而未加入泥浆的水流中,则是在加沙不久河床上就开始淤积了,而且在淤积的同时含沙量也逐渐加大,直到饱和状态为止,最大饱和状态含沙量小于前者,多在 $500\sim700kg/m^3$ 之间(梁志勇,2001)。

当泥浆含量较高时,随着含沙量的增加、流动强度的减弱,水流输沙出现成层状态或靠近河床底部出现成片成片的停滞层,最后进入淤积状态。进入淤积状态的泥沙,一旦水流有扰动或水流流速稍有增大,又能马上进入运动状态。而没有加入泥浆的高含沙水流淤积时,随着流动强度的降低,悬移质中较粗的颗粒转变为推移质或落淤于床面,泥沙淤积面与水流有明显分界。

11.2.2 沙浪尺度及床面形态的可逆性

两类高含沙水流试验的另外一个重要差别就是床面形态的差异。

在含有泥浆的高含沙水流试验中,床面经常出现的是动平床或者逆行沙浪。在采用细沙进行试验的情况下,在每组试验开始后不久,常常出现逆行沙浪。逆行沙浪一般从水槽中后部产生,逐步向上游推进、发展,有时未到达水槽上游就消失了,其高度多在 5cm 左右,沿水槽方向长度约为 4m,水流和泥沙向下游运动,而沙浪则向上游推进,整个沙波的推进速度为每分钟一米左右,水流佛汝德数大于 1。逆行沙浪经常发生于床面淤积物较厚、水流没有达到饱和状态的某组试验开始阶段,其几何尺寸如图 11-1(a)所示,沿程形态如图 11-1(b)所示。当水流含沙达到饱和状态后,逆行沙浪消失,河床进入动平床。

这种逆行沙浪与室内试验以及天然情况下一般低含沙水流的逆行沙浪相比,尺度较大。图 11-2 绘制了沙浪波长和水深之比与水流佛汝德数的关系,其中包括了黄河下游以及本次试验的两个点子,图中直线为理论分析所得到的关系线(钱宁等,1983;Yalin,1972),表 11-1 统计了一些天然河流以及本次试验中出现沙浪时的水沙条件与沙浪尺寸。

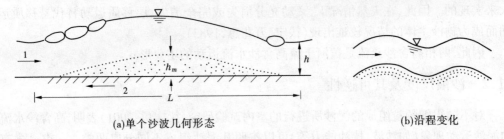

(a)单个沙波几何形态   (b)沿程变化

图 11-1   高含沙水流中河床上的逆行沙波

1—水流和泥沙运动方向,试验含沙量 600~100kg/m³;2—沙波运行方向;

L—沙波长度,约为 4m;h_m—沙波高度,约为 5cm;h—水深,5~10cm

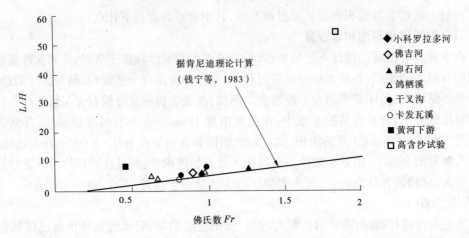

图 11-2   逆行沙浪与水流条件关系

从图 11-2 可以看出,大部分点子都在利用肯尼迪方法所计算的理论线以上,即实际波长普遍大于理论值。特别是黄河下游的点子以及本次试验的点子,均大于理论线数倍。

从表中资料可以看出:①试验所用床沙粒径在 0.12mm 左右,介于黄河与小科罗拉多河之间,水深显然小于黄河的,但与小科罗拉多河的差不多,波长也刚好在这两条河流之间;②从统计的资料来看,似乎床沙粒径与水深之比越小,流速或佛汝德数越大,波长越长。利用表中所统计资料进行分析,发现波长 L 不仅与水流条件有关,而且还受水深与粒径之比,以及因子 $\rho_m/(\rho_s-\rho_m)$ 等的影响。最后得到了波长与水沙条件有如下的良好关系(见图 11-3,相关系数 0.97)

$$L = 2.4\left(\frac{\rho_m}{\rho_s-\rho_m}\right)^{1.65}\left(\frac{H}{D}\right)^{0.28}\frac{V^2}{g} \tag{11-7}$$

或者

$$\frac{L}{H} = 2.4\left(\frac{\rho_m}{\rho_s-\rho_m}\right)^{1.65}\left(\frac{H}{D}\right)^{0.28}\frac{V^2}{gH} \tag{11-8}$$

式中：ρ_s 和 ρ_m 分别为泥沙和浑水的密度；D 为粒径；H 为水深；V 为水流流速，以 m/s 计。

表 11-1　天然河流及高含沙试验出现沙浪的几何尺度及其水沙条件

（黄河沙浪波长摘自钱宁、周文浩，1964；其他天然河流摘自 Kennedy，1961）

河流	水深 （m）	流速 （m/s）	佛氏数	床沙中径 （mm）	床沙中径与水深 之比（‰）	波长 （m）
小科罗拉多河	0.07	0.76	0.92	0.16	2.3	0.38
佛吉河	0.12	0.99	0.91	0.19	1.6	0.64
卵石河	0.06	0.97	1.27	0.45	7.5	0.46
鸽栖溪	0.14	1.15	0.98	0.41	2.9	0.79
鸽栖溪	0.19	1.31	0.96	0.41	2.2	0.98
鸽栖溪	0.95	1.98	0.65	0.41	0.4	4.57
鸽栖溪	1.21	2.34	0.68	0.41	0.3	4.27
干叉沟	0.24	1.49	0.97	0.38	1.6	1.22
干叉沟	0.40	1.64	0.83	0.38	1.0	2.16
干叉沟	0.42	2.00	0.99	0.38	0.9	3.35
卡发瓦溪	0.91	2.43	0.81	0.46	0.5	3.04
黄河下游*	2	2	0.45	0.07	0.035	15
高含沙试验**	0.075	1.2	1.40	0.12	1.2	4

注：* 除沙浪波长资料外，其他黄河下游资料均采用某一平均值。

　　** 高含沙试验资料均采用试验数据的平均值。

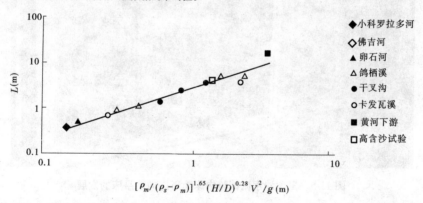

图 11-3　逆行沙浪波长与水沙条件关系

在没加入泥浆的高含沙水流试验中，随着水流强度的加大，常常出现沙纹或沙垄、沙垄消失、动平床（见图 11-4 和图 11-5），很少出现逆行沙浪。通常在含沙量超过 200kg/m³ 时，沙垄消失，达到动平床阶段。这一分界含沙量似乎与水流流量或流速与比降之积的关系比较模糊，可以示意如图 11-6 所示。

钱宁等曾经指出，床面形态的可逆性问题值得探讨（钱宁、万兆惠，1983）。在试验过程中注意到，①在含泥浆的高含沙水流试验中，经常是当水槽循环系统开启后，在水泵开度不变情况下，随着含沙量的增加首先出现逆行沙浪，在含沙量达到饱和时出现动平床。

图 11-4 高含沙水流试验中的沙垄

图 11-5 高含沙水流试验中床面形态向动平床的发展

这表明,在水流强度变化不大以及床面有相当的淤积物时,随着含沙量的加大,床面是先达到动平床,然后再进入逆行沙浪,示意如图 11-7(a)所示;②在没加入泥浆的试验中,随着水流强度逐渐加大、含沙量的逐渐增加,床面形态会逐渐从沙垄过渡到平整河床;相反地,当减少水流流量或者降低坡降或含沙量时,床面形态会从动平床过渡到沙垄,示意如图 11-7(b)。这说明,床面形态是可逆的或者至少在一定条件下是可逆的。

11.3 高含沙两相紊流泥沙组成的调整

悬移质泥沙的级配曲线在正常半对数坐标上常常表现为"S"形或反"S"形,即中间大小的颗粒所占比例较多,两头的粗颗粒和细颗粒比例则较小。多年来不少泥沙界学者都在探索悬移质泥沙这种组成的调整机理,但存在相当的难度。其一,床沙质泥沙有充分补给,但冲泻质泥沙可能没有充分补给;其二,细颗粒泥沙在泥沙输移过程中的作用异常复杂,如絮凝问题等;其三,高含沙水流情况下这一问题变得更加复杂,高含沙水流是两相流还是一相流、是牛顿体还是非牛顿体、紊流还是层流?诸如此类的问题都直接影响着对高含沙水流泥沙组成调整机理的认识。

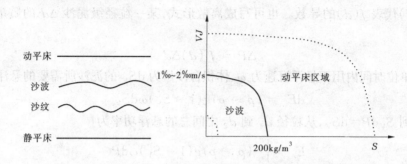

图 11-6 未加入泥浆高含沙水流中床面形态与水流关系示意图

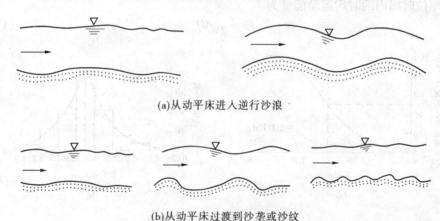

(a)从动平床进入逆行沙浪

(b)从动平床过渡到沙垄或沙纹

图 11-7 沙波发展的可逆性示意图

11.3.1 两相紊流悬移质的输沙模式

两相紊流型高含沙水流悬移质输沙能力有三方面的含义:一是应当存在紊动所能悬浮的最大颗粒或沉速最大的颗粒,大于该沉速的泥沙不能被悬浮;二是小于或等于该沉速的泥沙应有足够的泥沙补给,不仅有粗有细,而且各种粗细的泥沙都有足够的补给,使水流的紊动能量得到充分的利用;三是能够被水流所挟带,虽然在随流水运动过程中有可能下沉或下落至床面,但从时均情况来看,下沉或下落的泥沙数量与悬浮上升的泥沙数量相当。

正如一个搬运工一样,如果他想将各种各样大小的货物用最小的做功搬完,就必须每次都充分利用其搬运能力。首先他只能搬运他能够搬动的货物;其次所搬运的各种各样的货物应当有一个合理搭配,使其能力充分发挥;第三是在搬运过程中不能丢下,或者从时均情况来看下落到河床上的数量与上升的泥沙数量相当(梁志勇等,2000)。

11.3.2 泥沙组成的调整模式

河流泥沙通常由大小不同的颗粒组成,若设小于某粒径的泥沙质量百分数为 P,则其随泥沙粒径 d 变化的关系(图 11-8(a))可以写成

$$P = f(d) \tag{11-9}$$

某一粒径级 $\mathrm{d}d$ 的泥沙质量百分数 $\mathrm{d}P$ 为(图 11-8(b))

$$\mathrm{d}P = f'(d)\mathrm{d}d \tag{11-10}$$

其中,$f'(d)$ 代表 $f(d)$ 的导数。也可写成离散形式,某一粒径级泥沙 Δd 的质量百分数 ΔP 为

$$\Delta P = f'(d)\Delta d \tag{11-11}$$

水流单位时间内用于悬浮沉速为 ω、体积含沙量为 $\mathrm{d}S_V$ 的泥沙所需要的悬浮能量为

$$\mathrm{d}E_s = (\rho_s - \rho)g(1 - S_V)\omega\mathrm{d}S_V \tag{11-12}$$

这样注意到 $S_V\mathrm{d}P = \mathrm{d}S_V$,从粒径 d_1 到 d_2 之间总的悬浮功率为

$$E_s = \int_{d_1}^{d_2}(\rho_s - \rho)g(1 - S_V)\omega\mathrm{d}P \tag{11-13}$$

而水流单位时间内的时均运动能量为

$$E = \rho gVJ \tag{11-14}$$

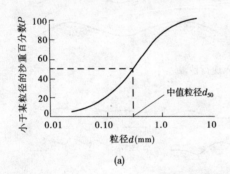
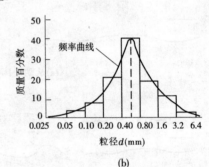

(a)   (b)

图 11-8　泥沙颗粒级配示意图

紊动能量来源于水流运动能量,这样在水流含沙达到饱和状态时单位时间用于悬浮泥沙的紊动能量可用水流时均能量与某一小于 1 的系数 η 的乘积来表示,即

$$\int_{d_1}^{d_2}(\rho_s - \rho)g(1 - S_V)\omega\mathrm{d}P = \eta\rho gVJ \tag{11-15}$$

泥沙因水流紊动而悬浮,因重力作用而下沉。如果有足够的泥沙补给,那么水流将朝着充分利用其紊动能量来使泥沙悬浮的方向发展和调整,使水流输沙逐步达到所谓的饱和状态。

在用于悬浮泥沙的紊动能量(即上式右端)一定的前提下,欲使含沙量达到最大值,则须使下式取得最小值,即

$$\int_{d_1}^{d_2}\omega\mathrm{d}P = \frac{\eta\rho gVJ}{(\rho_s - \rho)g(1 - S_V)S_V} = \min \tag{11-16}$$

上式是含沙量达到最大(饱和)输沙情况下泥沙组成应当满足的积分方程式,实际上是满足

$$P = f(d_2) = 100\% \qquad (11\text{-}17)$$

的边界待定的泛函极值问题。式(11-16)表明,水流输沙过程中水流和泥沙应不断地朝着相互协调的方向发展,其调整方向是:在用于悬浮泥沙的紊动能量一定的条件下,水流通过挟带不同组成的泥沙使式(11-16)分母达到某一最大值,或通过调整悬移质泥沙的组成使 $\int_{d_1}^{d_2} \omega \mathrm{d}P$ 达到某一较小值。

11.3.3 悬移质泥沙平均粒径与含沙量的关系

如果仍然采用式(9-20)式(9-21)计算泥沙沉速,则可以将式(11-15)改写为(梁志勇,2001)

$$\sqrt{\left(13.95 \frac{\nu}{d}\right)^2 + 1.09 \frac{\rho_s - \rho}{\rho} gd} - 13.95 \frac{\nu}{d} = \frac{C}{S_V(1 - S_V)^{m+1}} \qquad (11\text{-}18)$$

其中,$C = \dfrac{\eta \rho g V J}{\rho_s - \rho}$。

这样,取不同的 C 值并通过试算就可以得到粒径 d 与体积比含沙量 S_V 的关系如图 11-9 所示。图中曲线为水温 15℃、m 分别为 3 和 5 的情况,图 11-9(a)为 $C = 0.001 \mathrm{m/s}$ 的情况,图 11-9(b)为 $C = 0.000\,01 \mathrm{m/s}$ 的情况。可以看出,C 小时该关系线 d 的最小值小,C 大时该关系线 d 的最小值大;m 小时粒径 d 随体积比含沙量的变化较小,m 大时粒径 d 随体积比含沙量的变化幅度较大。

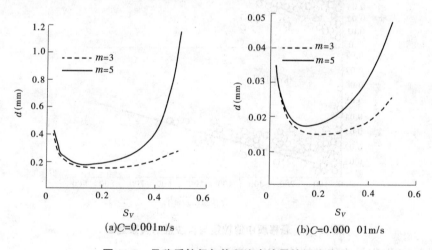

图 11-9 悬移质粒径与体积比含沙量的理论关系

这一理论关系与一些天然河流的实测关系比较接近,如图 11-10 所示的黄河中游部分支流高含沙水流含沙量与中值粒径的关系,图中资料来源于有关文献(钱宁,1977;陕西省高含沙引水试验小组,1976;赵文林等,1978;赵业安等,1998)。

但是遗憾的是,利用上述资料所绘制的悬移质中值粒径与含沙量的关系并未出现极值点,像图 11-9 所计算的那样。为此我们进一步分析了有关资料,发现如果将所有高含沙与低含沙的资料都统计在内的话,确实存在类似图 11-9 那样的关系。图 11-11 绘制了龙门、华县两个水文站悬移质中值粒径与含沙量的关系,正是一个典型的例子(杜殿勖等,

1993),只是出现极值点时的含沙量与理论计算不完全一致而已。

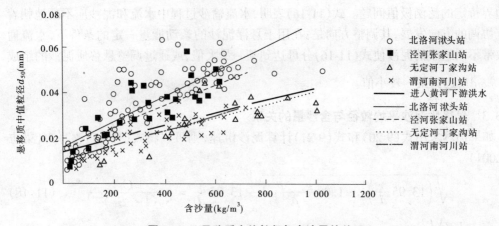

图 11-10　悬移质中值粒径与含沙量的关系之一

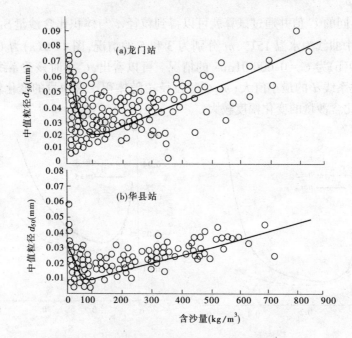

图 11-11　悬移质中值粒径与含沙量的关系之二

实际上,d 取得最小值时的体积比含沙量为

$$S_V = \frac{1}{m+2} \tag{11-19}$$

相应的最小粒径组的沉速为

$$\omega_{\min} = \frac{(m+2)^{m+2}}{(m+1)^{m+1}} C \tag{11-20}$$

表 11-2 列出了不同 m 值的最小沉速和相应的体积比含沙量。可以看出,随着 m 的增大(相当于细颗粒含量的增多),极值点的位置越来越向较小的体积比方向移动,相应的相对最小沉速越来越大,在 C 值一定时最小泥沙粒径也越来越大。

表 11-2　最小沉速与相应的体积比含沙量

m	$\overline{\omega}_{\min}/C$	S_{V_c}
2	10	0.25
4	15	0.167
6	20	0.125
8	26	0.1

参 考 文 献

[1] 迟耀瑜.渠道高含沙浑水输送问题.西北农学院学报,1979(3)

[2] 戴继岚,万兆惠,等.泥浆管道输送的试验研究.见:河流泥沙国际学术讨论会论文集.广州:光华出版社,1980

[3] 戴继岚,钱宁.粒径分布和细颗粒含量对两相管流水利特性的影响.泥沙研究,1982(1)

[4] 杜殿勖,等.黄河、渭河、汾河、北洛河粗细泥沙来源及汇流区河道分组泥沙冲淤规律.见:黄河水沙变化研究论文集.1993

[5] 韩其为,等.丹江口水库淤积及下游河道冲刷.见:河流泥沙国际学术讨论会论文集.广州:光华出版社,1980

[6] 侯晖昌.河流动力学基本问题.北京:水利出版社,1982

[7] 梁志勇,等.引水防沙与河床演变.北京:中国建材工业出版社,2000

[8] 梁志勇.水沙和边界条件对高含沙水流输沙稳定性的影响:〔中国水利水电科学研究院博士研究生毕业论文〕.2001

[9] 林秉南.关于一维动床数学模型的讨论.见:三峡工程泥沙问题成果汇编.1988

[10] 钱宁.西北地区高含沙水流运动机理的初步探讨.见:黄河泥沙研究报告选编.1980

[11] 钱宁.高含沙水流运动.北京:清华大学出版社,1989

[12] 钱宁,万兆惠.泥沙运动力学.北京:科学出版社,1983

[13] 钱宁,周文浩.黄河下游河床演变.北京:科学出版社,1964

[14] 陕西省高含沙引水实验小组.引泾、引洛、宝鸡峡引渭灌区高含沙引水初步总结.见:黄河泥沙研究报告选编.1976

[15] 武汉水利电力学院河流泥沙工程学教研室.河流泥沙工程学.北京:水利电力出版社,1981

[16] 赵业安,周文浩,等.黄河下游河道演变基本规律.郑州:黄河水利出版社,1998

[17] 赵文林.黄河泥沙.郑州:黄河水利出版社,1996

[18] 赵文林,等.渭河下游冲淤中的几个问题.见:黄河泥沙研究报告选编.1978

[19] 舒安平.高含沙水流挟沙能力及输沙机理的研究:〔清华大学博士学位论文〕.1994

[20] 王立新.层移质运动基本规律的试验研究:〔清华大学硕士研究生论文〕.1986

[21] 王兆印,钱宁.层移运动规律的实验研究.中国科学,1984

[22] 吴华林,等.不絮凝沙沉降规律研究.见:第二届全国泥沙基本理论学术讨论会论文集.中国建材工业出版社,1995

[23] 詹义正,陈立,李义天.紊动与悬移质泥沙的组成.见:第二届全国泥沙基本理论学术讨论会论文集.中国建材工业出版社,1995

[24] 张红武.悬移质级配的理论计算.见:黄委会水科所科学研究论文集.郑州:河南科学技术出版社,1989

[25] 朱鹏程.低含沙量与高含沙量水流挟沙力相互关系的探讨.泥沙研究,复刊号,1980

[26] Durand, R.. Basic relationship of the transportation of solids in pipes experimental research. Proc. Minnesota International Hydraulics Conference, 1953

[27] Kennedy, J. F.. Stationary waves and anti-dunes in alluvial channels. Rep. KH-R-2, Keck Lab. Hyd. And Water Resources, Calif. Inst. Tech., 1961

[28] Kleiman, P.. Hydraulic transport of copper tailings, Journal of Hydraulics Division. Proc. ASCE, 1976.102(10)

[29] Newitt, D.M., et al. Hydraulic conveying of solids in horizontal pipes. Trans. Inst. Chem. Engrs., 1955,33(2)

[30] Shook, C.A., et al. Experimental studies on the transport of sands in liquids of varying properties in 2 and 4 pipes. Report VI of the Saskatchewan Research Council, Canada.1973

[31] Yalin, M. S.. Mechanics of sediment transport. Pergamon Press

第十二章　高含沙洪水输沙特性研究

本章研究内容：以三黑小洪水过程中最大日平均含沙量超过 $300kg/m^3$ 为标准,统计分析黄河下游历次高含沙洪水在各河段造成的全沙及分组泥沙冲淤量和冲淤分布；分析高含沙洪水在全河下游及各河段的排沙比与流量、含沙量、平滩流量及河槽几何形态的关系；分析山东河段输送高含沙洪水而不严重淤积的上限含沙量及其相应的河南河段的淤积量和来水过程。

12.1　高含沙洪水统计结果

此处的高含沙洪水系指汛期洪水过程中三黑小最大日平均含沙量超过 $300kg/m^3$ 的洪水。黄河下游高含沙洪水各河段来水来沙情况以及河道冲淤情况如表 12-1 和表 12-2 所列。结果表明：

表 12-1　黄河下游高含沙洪水来水来沙情况

站名	水量 (亿 m^3)	平均流量 (m^3/s)	沙量 (亿 t)	含沙量 (kg/m^3)	细沙量 (亿 t)	中沙量 (亿 t)	粗沙量 (亿 t)
三黑小	352	2 395	77.56	220	36.89	20.76	19.90
花园口	359	2 441	59.92	167	33.69	13.25	12.99
高村	326	2 220	33.64	103	21.57	7.33	4.74
艾山	321	2 183	29.64	92	19.85	6.08	3.70
利津	297	2 022	28.53	96	18.83	6.24	3.46

表 12-2　黄河下游各河段高含沙洪水冲淤情况　　　　　　　(单位:亿 t)

河段	淤积量	细沙淤积量	中沙淤积量	粗沙淤积量
三门峡—花园口	17.27	3.01	7.43	6.84
花园口—高村	25.01	11.37	5.64	8.00
高村—艾山	3.55	1.41	1.16	0.99
艾山—利津	0.64	0.70	−0.25	0.19
三门峡—高村	42.28	14.37	13.07	14.84
高村—利津	4.18	2.12	0.90	1.18
三门峡—利津	46.46	16.49	13.97	16.01

(1)1960 年 9 月~1999 年 10 月,黄河下游共发生此类洪水 24 次,总历时 167d,主要发生在三门峡水库滞洪排沙期的 1969、1970、1971、1973、1974 年,以及 1986 年以来水沙显著变化期的 1988、1992、1994、1995、1996、1997 年和 1999 年(包含 1999 年一次,其他统计数据未考虑1999年一次)。图12-1为高含沙洪水发生次数随年份的变化关系,说明

1986年水沙显著变化以来高含沙水流出现机会增多。

(2)1960年9月～1999年10月高含沙洪水三黑小来水量350亿 m³，来沙量76.32亿 t，分别占该期间总来水量、来沙量的4.6%和21.7%，平均含沙量230kg/m³，洪水历时167d，占所统计洪水历时的4.8%。水量或平均流量的沿程变化不大，但沙量或含沙量的沿程衰减较大。图12-2为高含沙洪水平均流量和平均含沙量的沿程衰减情况，可以看出，流量沿程衰减主要在花园口到高村和艾山到利津河段，但减少的数量不大；含沙量沿程衰减主要发生在艾山以上，特别是高村以上河道，总的衰减量65%左右，与以前分析的60%相近(梁志勇，2001)。高含沙洪水所造成的淤积量为46.46亿 t，占所统计洪水淤积总量的96.5%。因此，高含沙洪水是下游河道淤积的主要洪水。

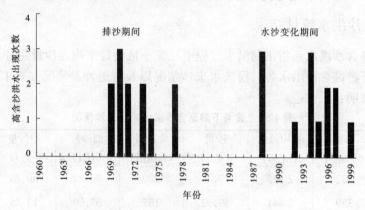

图12-1　高含沙洪水发生次数随年份的变化关系

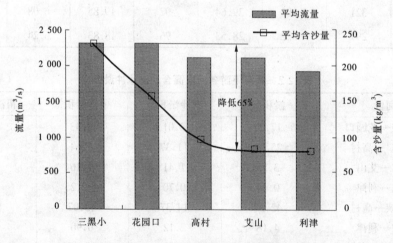

图12-2　高含沙洪水平均流量和平均含沙量的沿程变化

(3)高含沙洪水淤积量大、排沙比小，其沿程分布情况如图12-3所示，其中铁花段和花高段淤积量较大、排沙比较小。单从淤积量和排沙比来分析河段的输沙情况可能并不全面，因为各个河段的长度并不一致。同样的淤积量或排沙比，河长不同时其河道的淤积状况显然是不同的。为此，此处引入单位河长淤积量和单位河长排沙比的概念，前者为河段淤积量除以河段长度，后者说明如下：设想一长度为 L 的河段，其进出口断面的输沙量

分别为 W_{su} 和 W_{sd}，并假定输沙量沿程为直线变化，则单位河长的淤积量为 $\frac{W_{su} - W_{sd}}{L}$；若任一断面处的输沙量为 W_{sj}，则经过单位河长 L_0 后的输沙量为 $W_{sj} - L_0 \times \frac{W_{su} - W_{sd}}{L}$，这样单位河长的排沙比为

$$\lambda_{sLj} = \frac{W_{sj} - L_0 \times \dfrac{W_{su} - W_{sd}}{L}}{W_{sj}} \tag{12-1}$$

由于该河段输沙量为直线变化，所以任一断面处的单位河长排沙比都相等，为便于计算可以用进口断面的输沙量代入上式可得单位河长的排沙比为

$$\lambda_{sL} = \frac{W_{su} - \dfrac{L_0}{L}(W_{su} - W_{sd})}{W_{su}} = 1 - \frac{L_0}{L}\left(1 - \frac{W_{sd}}{W_{su}}\right) = 1 - \frac{L_0}{L}(1 - \lambda_s) \tag{12-2}$$

式中：单位河长 L_0 的单位与河段河长 L 的单位应一致；河段的排沙比

$$\lambda_s = \frac{W_{sd}}{W_{su}} \tag{12-3}$$

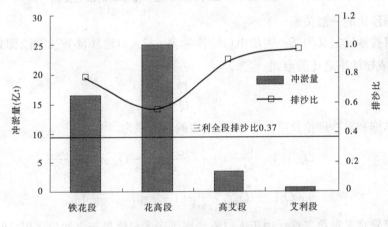

图 12-3　高含沙洪水淤积量和排沙比的沿程变化

图 12-4 进一步绘制了高含沙洪水单位河长淤积量和排沙比的沿程变化情况，可以更清楚地看出各个河段的输沙情况和冲淤情况。结果是：花高段和铁花段单位河长的排沙比较小，艾利段和高艾段较大，总的趋势与排沙比一致。这一结果说明，铁花段比降较陡，输沙能力较大，单位河长的排沙比稍大于花高段，但由于来沙量较大，结果单位河长的淤积量依然最大；花高段比降减小较多，输沙能力降低较多，单位河长的排沙比降低；经过上段河道的淤积，到达高村以下后水沙搭配趋于均衡，输沙率与输沙能力接近，排沙比增加，单位河长淤积量减小；到达艾山—利津河段后，单位河长排沙比更接近于 1，因而河段单位河长的淤积量很小。

12.2　高含沙洪水排沙比的一般关系

与普通挟沙水流相比，高含沙水流因其密度高、惯性大而具有强烈的不稳定性。这种

不稳定性主要表现在水位或河床变化剧烈、主槽规顺或河势规顺等几个方面(梁志勇等,2001),对河道冲淤变化、防洪抢险等均有极大的影响。研究高含沙洪水与下游河道冲淤关系,推求什么样搭配的高含沙洪水对下游河道冲淤变化影响最小,并确定小浪底水库对高含沙洪水的调节原则,乃是本章的关键内容。

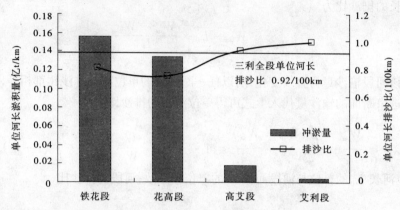

图 12-4 高含沙洪水单位河长淤积量和排沙比的沿程变化

12.2.1 排沙比的一般关系

一般将排沙比定义为某一河段出口输沙量 W_{sd} 与入口输沙量 W_{su} 之比,即式(12-3)的形式,或写成输沙率之比的形式

$$\lambda_s = \frac{Q_{sd}}{Q_{su}} \tag{12-4}$$

按照非饱和输沙理论及第二章,河段出口的输沙率为

$$Q_{sd} = Q_{s*d}\left[1 - \frac{Q_{s*u}}{Q_{s*d}}\exp\left(-\frac{\alpha\omega X}{q}\right)\right] + Q_{su}\exp\left(-\frac{\alpha\omega X}{q}\right)$$
$$+ (Q_{s*u} - Q_{s*d})\frac{q}{\alpha\omega X}\left[1 - \exp\left(-\frac{\alpha\omega X}{q}\right)\right] \tag{12-5}$$

式中有关符号意义见第二章。由于入口输沙率等于入口流量与含沙量之积,即

$$Q_{su} = Q_u S_u \tag{12-6}$$

将式(12-5)和式(12-6)代入排沙比关系式(12-4)并简化可得

$$\lambda_s = \frac{Q_{sd}}{Q_{su}} = f_1 \frac{Q_{s*u}}{Q_{s*d}} + f_2 \tag{12-7}$$

其中,系数 f_1 为

$$f_1 = 1 - f_2\frac{Q_{s*u}}{Q_{s*d}} + \frac{f_2 - 1}{\ln f_2}\cdot\frac{Q_{s*u} - Q_{s*d}}{Q_{s*d}} \tag{12-8}$$

系数 f_2 为

$$f_2 = \exp\left(-\frac{\alpha\omega X}{q}\right) \tag{12-9}$$

若采用以下形式的输沙能力公式

$$Q_{s*d} = K_1 Q_d^{\alpha} S_u^{\beta} \tag{12-10}$$

式中：K_1 为系数；指数 α 大于 1；β 小于 1。则将上式代入式(12-7)并简化可得

$$\lambda_s = \frac{Q_{sd}}{Q_{su}} = f_1 \frac{K_1 Q_d^{\alpha}}{Q_u S_u^{1-\beta}} + f_2 \tag{12-11}$$

黄河下游在洪水的传播过程中流量会发生坦化，但可以认为河段出口与进口的流量存在如下关系

$$Q_d = K_2 Q_u^{\gamma} \tag{12-12}$$

式中：K_2 为系数；γ 为指数。这样将式(12-12)代入式(12-11)可得排沙比

$$\lambda_s = \frac{Q_{sd}}{Q_{su}} = f_1 K_1 K_2^{\alpha} \frac{Q_u^{\alpha\gamma-1}}{S_u^{1-\beta}} + f_2 \tag{12-13}$$

上式就是黄河下游排沙比的一般关系。该式由两项组成，第二项为泥沙沉速、河段距离和单宽流量的函数。该关系表明：①黄河下游某一河段的排沙比一般情况下主要取决于水沙系数 $\dfrac{Q_u^{\alpha\gamma-1}}{S_u^{1-\beta}}$，排沙比大致与河段进口流量的某一次方成正比例关系，与河段进口含沙量的某一次方成反比关系；②排沙比还受到其他因素的影响，如河段进出口的输沙特性、泥沙特性、河段几何特性、洪水传播特性等。

据研究[1]（黄委会勘测规划设计研究院，2001），黄河下游输沙能力除了与水流流量、含沙量有关外，还与宽深比成减函数关系，这样输沙能力关系式(12-10)可以改写为

$$Q_{s*d} = K_1 \frac{Q_d^{\alpha} S_u^{\beta}}{\left(\dfrac{\sqrt{B}}{h}\right)^{m_1}} \tag{12-14}$$

与此相应，式(12-14)可以写作

$$\lambda_s = \frac{Q_{sd}}{Q_{su}} = f_1' K_1 K_2^{\alpha} \frac{Q_u^{\alpha\gamma-1}}{S_u^{1-\beta}} \left(\frac{\sqrt{B}}{h}\right)^{-m_1} + f_2 \tag{12-15}$$

12.2.2　黄河下游各河段排沙比关系

按照上文分析的思路，统计分析了 1960～1999 年 24 场三黑小最高含沙量大于 300m³/s 的高含沙洪水资料，将 24 场洪水按三黑小流量大小排序并分为 6 组，建立 6 组排沙比与三黑小水沙系数如图 12-5 所示，其相关关系为

$$\lambda_s = \alpha \left(\frac{Q}{S^{\frac{1-\beta}{\alpha\gamma-1}}}\right)^m + b \tag{12-16}$$

式中：各个河段的系数、指数如表 12-3 所示，排沙比与水沙系数关系如图 12-5 所示。由此可以利用上下河段排沙比的关系

$$\lambda_{s三利} = \lambda_{s三艾}\lambda_{s艾利} = \lambda_{s三高}\lambda_{s高艾}\lambda_{s艾利} = \lambda_{s三花}\lambda_{s花高}\lambda_{s高艾}\lambda_{s艾利} \tag{12-17}$$

得到四个河段的排沙比关系为

$$\lambda_{s艾利} = \frac{\lambda_{s三利}}{\lambda_{s三艾}} \tag{12-18}$$

---

[1]　水利部黄河水利委员会勘测规划设计研究院，2001 年，小浪底水库初期调水调沙运用减轻黄河下游河道淤积关键技术研究。

$$\lambda_{s高艾} = \frac{\lambda_{s三利}}{\lambda_{s三艾}\lambda_{s艾利}} \tag{12-19}$$

$$\lambda_{s花高} = \frac{\lambda_{s三利}}{\lambda_{s三花}\lambda_{s高艾}\lambda_{s艾利}} \tag{12-20}$$

表 12-3　各河段排沙比与三黑小水沙系数关系式的系数与指数

指数或系数	三花段	三高段	三艾段	三利段
$\dfrac{1-\beta}{\alpha\gamma-1}$	1.10	1.00	0.90	0.88
a	0.044 8	0.016 5	0.005 9	0.003 8
m	1.25	1.28	1.35	1.46
b	0.302 3	0.077 6	0.065 4	0.046 4
相关系数	0.91	0.89	0.90	0.89

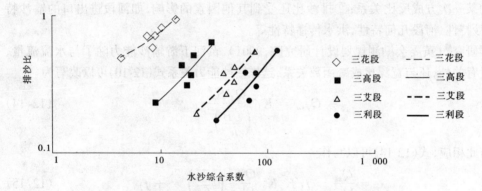

图 12-5　排沙比与三黑小水沙系数关系

这样可以得到各个河段的排沙比关系为

$$\lambda_{s三花} = 0.044\ 8\left(\frac{Q}{S^{1.1}}\right)^{1.25} + 0.302\ 3 \tag{12-21}$$

$$\lambda_{s花高} = \frac{0.016\ 5\left(\dfrac{Q}{S}\right)^{1.28} + 0.077\ 6}{0.044\ 8\left(\dfrac{Q}{S^{1.1}}\right)^{1.25} + 0.302\ 3} \tag{12-22}$$

$$\lambda_{s高艾} = \frac{0.005\ 9\left(\dfrac{Q}{S^{0.9}}\right)^{1.35} + 0.065\ 4}{0.016\ 5\left(\dfrac{Q}{S}\right)^{1.28} + 0.077\ 6} \tag{12-23}$$

$$\lambda_{s艾利} = \frac{0.003\ 8\left(\dfrac{Q}{S^{0.88}}\right)^{1.45} + 0.046\ 4}{0.005\ 9\left(\dfrac{Q}{S^{0.9}}\right)^{1.35} + 0.065\ 4} \tag{12-24}$$

按照上述关系绘制了不同三黑小含沙量时各个河段排沙比与三黑小流量的关系如

图 12-6~图 12-8 所示,可以看出:①在同一含沙量时,花高段排沙比最小,三花段有大有小,高艾段较大,艾利段排沙比最大。②在不同三黑小含沙量时,高利段排沙比变化幅度较小,其中高艾段排沙比在实测资料范围内基本稳定在 0.8~0.9 之间;三高段排沙比变化幅度较大,其中三花段排沙比变化幅度最大,在实测资料范围内在 0.5~0.9 之间摆动。

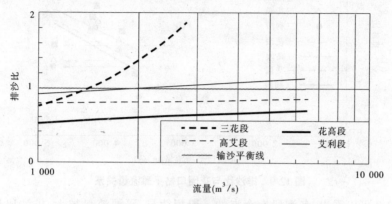

图 12-6 100kg/m³ 含沙量各河段排沙比与流量关系

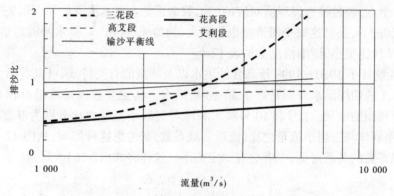

图 12-7 200kg/m³ 含沙量各河段排沙比与流量关系

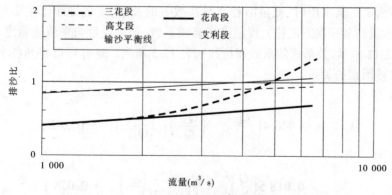

图 12-8 300kg/m³ 含沙量各河段排沙比与流量关系

在此基础上,进一步统计分析了排沙比与河段平滩流量的关系(图 12-9),该图暂时绘制了排沙比与花园口站汛初平滩流量的关系。

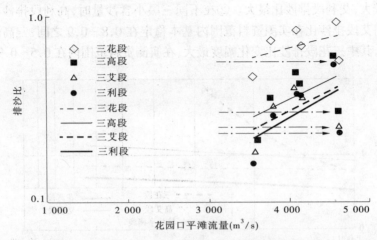

图 12-9 排沙比与花园口站平滩流量关系

从图 12-9 可以看出,各河段 6 个点的一般规律是,平滩流量越大,排沙比越大,这说明平滩流量大时输送高含沙水流更加容易;但其中各有一个点例外,见图中点画线箭头所指出的那 4 个点,经过检查发现所对应的一组数据正是大洪水漫滩的那一组,三黑小最大流量为 6 450m³/s,虽然这时平滩流量也比较大,约为 4 600m³/s,洪水漫滩后造成泥沙大量落淤,使排沙比很小,详细情况参见表 12-4。

表 12-4 统计了 1960~1999 年高含沙洪水以及冲淤的有关特征,可以看出,三利段排沙比小于 0.1 的两场洪水分别是第 1、第 10 场洪水。其主要原因是流量沿程衰减太快,似乎是分流淤积的结果。1 号和 10 号洪水利津与三黑小流量之比分别为 0.27 和 0.09。因此,又利用利津与三黑小流量之比(流量衰减系数)来考虑这种影响,从图 12-10 排沙比与流量衰减系数的关系可见,二者确有一定关系。这样将式(12-16)改写为

$$\lambda_s = \alpha \left(\frac{Q}{S^{\frac{1-\beta}{\alpha\gamma-1}}} \right)^{m_1} \left(\frac{Q_{出}}{Q} \right)^{m_2} \left(\frac{Q_b}{Q_{\max}} \right)^{m_3} + b \qquad (12\text{-}25)$$

进一步统计了排沙比与流量 Q、含沙量 S、最大流量 $Q_{\max}$ 与平滩流量 Q_b 之比(暂用花园口平滩流量)、洪水历时、流量沿程衰减系数等的关系,发现排沙比主要与水沙系数(流量与含沙量的某一次方之比)、流量沿程衰减系数、最大流量与平滩流量之比等有关,关系如图 12-11 所示,关系式的系数和指数如表 12-5 所列。这样可以得到各个河段排沙比与综合水沙因素的关系。

三花段为

$$\lambda_{s三花} = 0.046\,4 \left(\frac{Q}{S^{1.1}} \right)^{1.25} \left(\frac{Q_花}{Q} \right)^{0.5} \left(\frac{Q_b}{Q_{\max}} \right)^{0.1} + 0.282\,6 \qquad (12\text{-}26)$$

花高段为

$$\lambda_{s花高} = \frac{0.018\,5 \left(\frac{Q}{S} \right)^{1.28} \left(\frac{Q_花}{Q} \right)^{1.6} \left(\frac{Q_b}{Q_{\max}} \right)^{0.3} + 0.078\,1}{0.046\,4 \left(\frac{Q}{S^{1.1}} \right)^{1.25} \left(\frac{Q_花}{Q} \right)^{0.5} \left(\frac{Q_b}{Q_{\max}} \right)^{0.1} + 0.282\,6} \qquad (12\text{-}27)$$

表 12-4 高含沙洪水冲淤变化有关特征

洪水序号	历时(d)	平均流量(m³/s)		日均最大与平滩流量之比	最大日均、洪水平均含沙量(kg/m³)			排沙比	
		三黑小	利津		三黑小	高村	利津	三高	三利
1	3.0	1 256	341	0.46	334	288	23	0.13	0.02
2	6.0	1 492	976	0.71	397	312	77	0.21	0.16
3	5.0	1 493	843	0.48	434	204	41	0.24	0.11
4	8.0	1 579	1 569	0.66	470	242	82	0.30	0.34
平均	5.5	1 455	932	0.57	409	262	56	0.24	0.20
5	9.0	1 756	1 893	0.92	485	146	73	0.55	0.54
6	3.0	1 788	1 370	0.34	318	223	112	0.58	0.38
7	6.0	1 829	1 138	0.95	306	162	60	0.38	0.23
8	10.0	1 868	1 607	0.96	301	129	56	0.49	0.37
平均	7.0	1 810	1 502	0.70	352	165	75	0.49	0.39
9	9.0	1 990	1 325	0.67	328	100	46	0.33	0.31
10	5.0	2 077	194	0.98	488	367	35	0.18	0.01
11	9.0	2 093	2 011	1.12	341	167	55	0.31	0.32
12	10.0	2 133	1 710	0.47	335	220	81	0.40	0.30
平均	8.3	2 073	1 310	0.75	373	213	54	0.30	0.22
13	4.0	2 171	1 960	0.90	353	219	96	0.39	0.40
14	4.0	2 177	2 895	0.66	420	367	87	0.40	0.31
15	5.0	2 196	2 288	0.78	345	260	109	0.59	0.44
16	6.0	2 481	2 017	0.80	397	155	67	0.33	0.35
平均	4.8	2 256	2 290	0.79	379	250	90	0.44	0.37
17	8.0	2 493	2 433	0.94	331	184	112	0.64	0.59
18	10.0	2 754	2 155	1.08	392	239	77	0.25	0.25
19	4.0	2 757	1 613	1.42	337	228	64	0.30	0.16
20	4.0	2 824	3 053	1.16	507	366	59	0.25	0.18
平均	6.5	2 707	2 313	1.14	392	254	78	0.34	0.29
21	10.0	3 025	2 732	1.39	477	276	130	0.51	0.43
22	10.0	3 327	2 799	1.65	422	251	156	0.60	0.52
23	9.0	3 364	2 660	1.36	517	298	164	0.52	0.43
24	10.0	4 572	4 604	1.33	492	128	102	0.79	0.80
平均	9.8	3 572	3 199	1.41	477	239	138	0.59	0.52

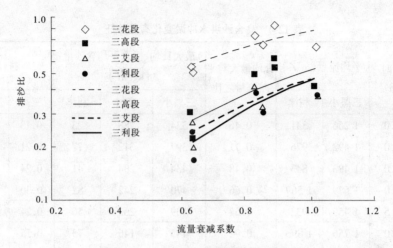

图 12-10 排沙比与流量衰减系数的关系

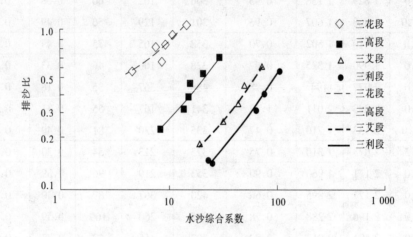

图 12-11 排沙比综合关系

表 12-5 各河段排沙比与关系式的系数与指数

指数或系数	三花段	三高段	三艾段	三利段
$\dfrac{1-\beta}{\alpha\gamma-1}$	1.10	1.00	0.90	0.88
a	0.046 4	0.018 5	0.007 1	0.004 8
m_1	1.25	1.28	1.35	1.46
m_2	0.5	1.6	1.3	1.4
m_3	0.10	0.30	0.25	0.4
b	0.282 6	0.078 1	0.042 2	0.031 8
相关系数	0.91	0.97	0.98	0.98

高艾段为

$$\lambda_{s高艾} = \frac{0.007\,1\left(\dfrac{Q}{S^{0.9}}\right)^{1.35}\left(\dfrac{Q_花}{Q}\right)^{1.3}\left(\dfrac{Q_b}{Q_{\max}}\right)^{0.25} + 0.042\,2}{0.018\,5\left(\dfrac{Q}{S}\right)^{1.28}\left(\dfrac{Q_花}{Q}\right)^{1.6}\left(\dfrac{Q_b}{Q_{\max}}\right)^{0.3} + 0.078\,1} \qquad (12\text{-}28)$$

艾利段为

$$\lambda_{s艾利} = \frac{0.004\,8\left(\dfrac{Q}{S^{0.88}}\right)^{1.46}\left(\dfrac{Q_花}{Q}\right)^{1.4}\left(\dfrac{Q_b}{Q_{\max}}\right)^{0.4} + 0.031\,8}{0.007\,1\left(\dfrac{Q}{S^{0.9}}\right)^{1.35}\left(\dfrac{Q_花}{Q}\right)^{1.3}\left(\dfrac{Q_b}{Q_{\max}}\right)^{0.25} + 0.042\,2} \qquad (12\text{-}29)$$

从上述排沙比关系可以看出,各个河段的排沙比都与水沙综合因素 $\left(\dfrac{Q}{S^{\frac{1-\beta}{\alpha\gamma-1}}}\right)^{m_1}\cdot$ $\left(\dfrac{Q_出}{Q}\right)^{m_2}\cdot\left(\dfrac{Q_b}{Q_{\max}}\right)^{m_3}$ 成比例,说明水沙系数 $\left(\dfrac{Q}{S^{\frac{1-\beta}{\alpha\gamma-1}}}\right)$ 越大、$\left(\dfrac{Q_n}{Q_{\max}}\right)$ 越大、$\left(\dfrac{Q_出}{Q}\right)$ 越大时,各个河段的排沙比就越高,其中三花段变化最为敏感,高艾段变化幅度最小。欲提高下游河道的排沙比,则应当减少含沙量或增大水流流量,降低流量沿程减小的数量,并尽量在平滩流量较大的情况下排沙。

12.3 断面形态对输沙的影响

12.3.1 概述

关于断面形态问题,尹学良等曾经指出了断面形态对河道水流输沙的影响,提出了表达断面形态影响特征的方法。认为断面形态不仅对输沙有影响,对河道输水也有影响。建议用下列式子表达断面形态的这种特征:

表称流量

$$Q_H = \sum bh^{5/3} \qquad (12\text{-}30)$$

表称输沙率

$$Q_{sH} = \sum bh^{8/3} \qquad (12\text{-}31)$$

深宽比

$$H_b = \frac{\sum bh^{8/3}}{\sum bh^{5/3}} \qquad (12\text{-}32)$$

式中:b 为第 i 垂线部分的河宽;h 为第 i 垂线部分的水深。

对过水面积、河宽相等但形状不同的断面分析表明,三角形断面的输水输沙能力是同种情况下矩形断面输水输沙能力的 1.19 倍和 1.73 倍。深宽比越大,表示断面越窄深。

齐璞等(1993)从黄河干支流情况出发,从多种角度论证了断面形态对输沙的影响,认为窄深断面有利于输送泥沙,特别是高含沙水流的泥沙输送。

费祥俊(赵业安、周文浩等,1997)就断面形态对高含沙水力因素的影响进行了分析,认为对于高含沙水流或窄深河段而言,仅用宽深比(河宽 B 与水深 H 之比)来代表断面形态是不够准确的,建议用参数 M 来表达断面形态,并用该参数反映断面形态对水力因素

的影响。参数 M 为湿周 p 与水力半径 R 之比,即

$$M = \frac{p}{R} \tag{12-33}$$

河道断面形态越窄深,M 值越小。从曼宁公式、水流连续方程以及水力半径与过水面积的关系,可以得到在比降、糙率等不变情况下的断面平均流速 V 与流量 Q 的关系为

$$V \propto \left(\frac{Q}{M}\right)^{1/4} \tag{12-34}$$

即其他因素不变时,同流量下流速与断面形态参数 M 的 1/4 次方成反比。窄深断面的 M 值小,会导致同流量的平均流速加大;由于输沙能力与流速的高次方成比例,因此水流的输沙能力会增加更多。

断面形态对排沙比的影响可用下式表示

$$\lambda_s = \alpha \left(\frac{Q}{S^{\alpha\gamma-1}}\right)^{m_1} \left(\frac{Q_{出}}{Q}\right)^{m_2} \left(\frac{Q_b}{Q_{max}}\right)^{m_3} \left(\frac{\sqrt{B}}{h}\right)^{-m_4} + b \tag{12-35}$$

其中,系数 a、b 有待于资料律定。

断面形态对输沙影响的研究已经得到了大多数学者的认同,实际上断面形态与输水输沙之间的关系具有双重性。一方面断面形态又影响输水输沙,另一方面来水来沙塑造了断面形态。

12.3.2 断面形态对河道输沙的影响

由于没有每场洪水的前期断面形态资料但是有汛前的断面形态资料,所以这里首先分析汛前断面形态对汛期以及场次洪水河道输沙的影响。

图 12-12 为按河道统测断面时间统计的时段淤积比与宽深比的对应关系,可以看出,二者有对应关系,但是实际上宽深比的变化滞后于水沙变化,这种关系水沙是原因,断面形态是结果。

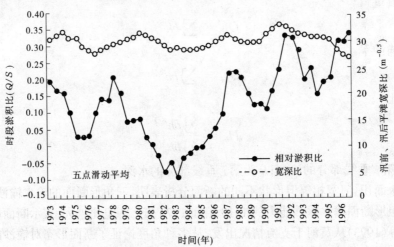

图 12-12　花园口—高村时段淤积比与宽深比的历年变化

由于难以得到每场洪水之前的断面形态资料,因此此处利用统测资料进行分析。如果每年第一场洪水的输沙情况与断面形态有关,而后来的场次洪水关系越来越小,则说明

断面形态对输沙有影响。

图 12-13～图 12-15 为花园口—利津三个河段每年第一场洪水相对排沙比（以便扣除水沙的影响,排沙比与水沙的对应关系举例如图 12-16）、宽深比的历年变化。可以看出,从大的情况来看,二者基本上有对应的互补关系,即,宽深比小时排沙比大,宽深比大时排沙比小。

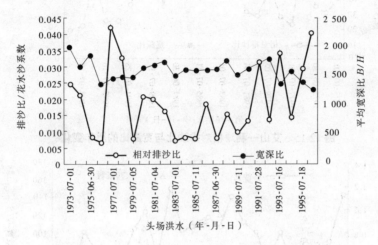

图 12-13　花园口—高村相对排沙比与宽深比的历年变化

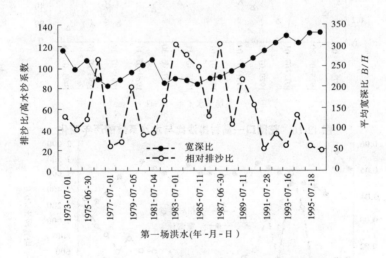

图 12-14　高村—艾山相对排沙比与宽深比的历年变化

这种对应关系在以后的洪水中较差,如图 12-17～图 12-19 所示的第二场洪水关系。从第一场、第二场洪水二者的相关关系中也可以看出,第一场关系较好,第二场关系较差,举例如图 12-20、图 12-23 所示。

欲建立场次洪水输沙情况与断面形态的关系,可能用场次洪水前期断面资料更加合适,而获取这一资料目前还有一定难度,因此在建立关系时暂不考虑断面形态的影响。

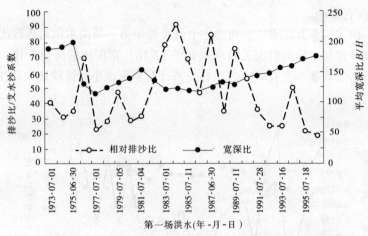

图 12-15　艾山—利津相对排沙比与宽深比的历年变化

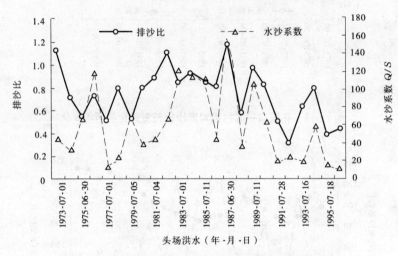

图 12-16　花园口—高村排沙比与水沙系数的历年变化

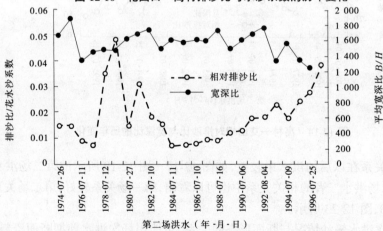

图 12-17　花园口—高村相对排沙比与宽深比的历年变化

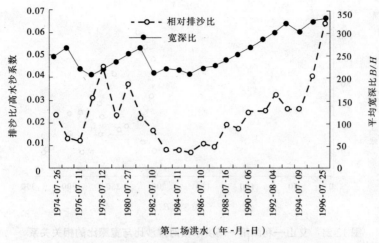

图 12-18　高村—艾山相对排沙比与宽深比的历年变化

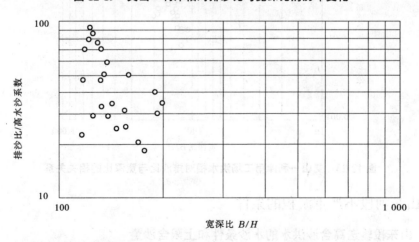

图 12-19　艾山—利津相对排沙比与宽深比的历年变化

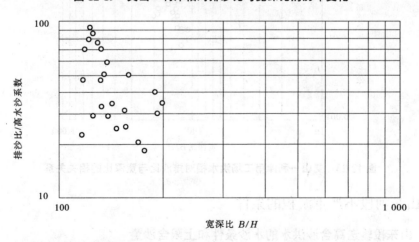

图 12-20　高村—艾山第一场洪水相对排沙比与宽深比的相关关系

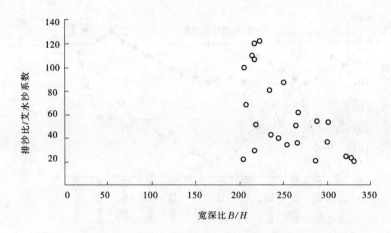

图 12-21 艾山—利津第一场洪水相对排沙比与宽深比的相关关系

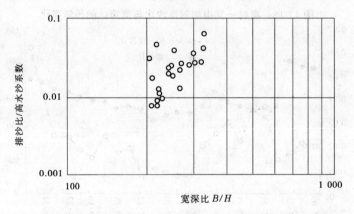

图 12-22 高村—艾山第二场洪水相对排沙比与宽深比的相关关系

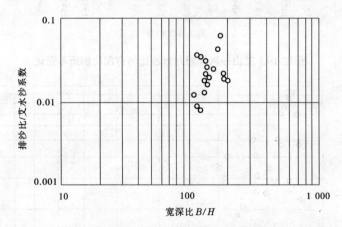

图 12-23 艾山—利津第二场洪水相对排沙比与宽深比的相关关系

12.4 山东河段不严重淤积的条件

12.4.1 山东段输送高含沙洪水的水沙条件和上限含沙量

为了得到山东段输送高含沙洪水不严重淤积的条件,可以从排沙比关系

$$\lambda_{s三利} = \lambda_{s三高}\lambda_{s高利} \qquad (12\text{-}36)$$

得到山东段或高利段的排沙比关系为

$$\lambda_{s高利} = \frac{\lambda_{s三利}}{\lambda_{s三高}} \qquad (12\text{-}37)$$

根据上节统计的黄河下游各河段排沙比与三黑小水沙系数、流量衰减系数、流量变幅等的关系,可以得到河南河段与山东河段的排沙比公式分别为

$$\lambda_{s三高} = 0.018\,5\left(\frac{Q}{S}\right)^{1.28}\left(\frac{Q_花}{Q}\right)^{1.6}\left(\frac{Q_b}{Q_{max}}\right)^{0.3} + 0.078\,1 \qquad (12\text{-}38)$$

和

$$\lambda_{s高利} = \frac{0.004\,8\left(\dfrac{Q}{S^{0.88}}\right)^{1.46}\left(\dfrac{Q_花}{Q}\right)^{1.4}\left(\dfrac{Q_b}{Q_{max}}\right)^{0.4} + 0.031\,8}{0.018\,5\left(\dfrac{Q}{S}\right)^{1.28}\left(\dfrac{Q_花}{Q}\right)^{1.6}\left(\dfrac{Q_b}{Q_{max}}\right)^{0.35} + 0.078\,1} \qquad (12\text{-}39)$$

取流量衰减系数、最大流量与平滩流量之比的平均值代入各段关系式,便可勾画出各个河段的输沙情况(图 12-24～图 12-26):①高含沙洪水三高段排沙比较小,高利段排沙比较大;在实测资料范围内,只有艾利段出现过冲刷情况。②三黑小流量较大、含沙量较小时排沙比较大。

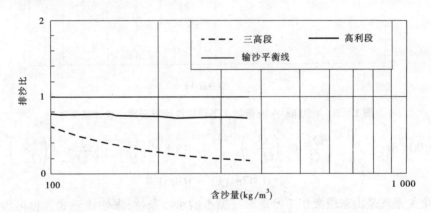

图 12-24 1 500m³/s 流量时上下段排沙比与三黑小含沙量关系

高含沙洪水在河南河段淤积严重,在山东河段的淤积则稍微轻一些,但依然是淤积的情况多于冲刷的情况。为了分析山东河段输送高含沙洪水而不严重淤积的上限含沙量,我们可以利用排沙比公式(12-39),若认为排沙比在 λ_{s0} 以上即为淤积不严重的话,那么水沙综合因素应当满足

$$\lambda_{s高利} = \frac{0.004\,8\left(\dfrac{Q}{S^{0.88}}\right)^{1.46}\left(\dfrac{Q_花}{Q}\right)^{1.4}\left(\dfrac{Q_b}{Q_{max}}\right)^{0.4} + 0.031\,8}{0.018\,5\left(\dfrac{Q}{S}\right)^{1.28}\left(\dfrac{Q_花}{Q}\right)^{1.6}\left(\dfrac{Q_b}{Q_{max}}\right)^{0.3} + 0.078\,1} \geqslant \lambda_{s0} \qquad (12\text{-}40)$$

从上式可以解得水沙综合因素应满足

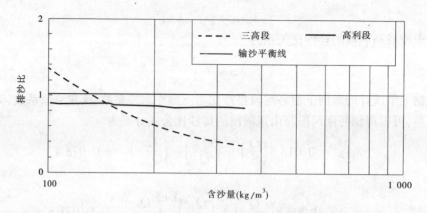

图 12-25 3 000m³/s 流量时上下段排沙比与三黑小含沙量关系

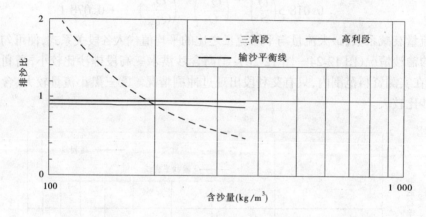

图 12-26 4 500m³/s 流量时上下段排沙比与三黑小含沙量关系

$$0.004\,8\left(\frac{Q}{S^{0.88}}\right)^{1.46}\left(\frac{Q_{花}}{Q}\right)^{1.4}\left(\frac{Q_b}{Q_{\max}}\right)^{0.4} - 0.018\,5\lambda_{s0}\left(\frac{Q}{S}\right)^{1.28}\left(\frac{Q_{花}}{Q}\right)^{1.6}\left(\frac{Q_b}{Q_{\max}}\right)^{0.3}$$
$$\geqslant 0.078\,1\lambda_{s0} - 0.031\,8 \tag{12-41}$$

这个关系就是山东段淤积不严重时三黑小的水沙条件,求解该隐式方程可以得到山东段淤积不严重时三黑小的平均流量与平均含沙量的关系。当取 $\lambda_{s0} = 0.85$ 时,淤积较轻的临界流量与含沙量关系如图 12-27 中的虚线所示,该关系线可用下式近似

$$Q \approx 810S^{0.232} \tag{12-42}$$

图 12-27 中的实线为高利段的冲淤平衡线,该关系线可用下式近似

$$Q \approx 2\,800S^{0.146} \tag{12-43}$$

12.4.2 山东段不严重淤积时河南段的淤积量

按照淤积比与排沙比的关系

$$\frac{\Delta Q_{s三高}}{Q_s} = \frac{Q_{s三} - Q_{s高}}{Q_s} = 1 - \lambda_{s三高} \tag{12-44}$$

可以得到淤积量

$$\Delta W_{s三高} = \Delta Q_{s三高}T = (1 - \lambda_{s三高})QST \tag{12-45}$$

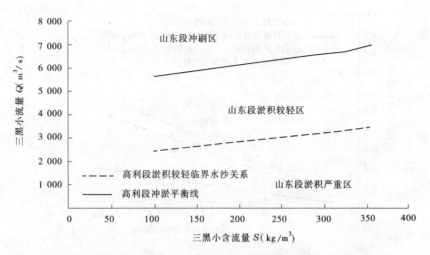

图 12-27　山东河段淤积不严重时三黑小流量与三黑小含沙量关系

式中：T 为洪水的历时。

三高段的排沙比

$$\lambda_{s三高} = 0.018\,5\left(\frac{Q}{S}\right)^{1.28}\left(\frac{Q_花}{Q}\right)^{1.6}\left(\frac{Q_b}{Q_{max}}\right)^{0.3} + 0.078\,1 \tag{12-46}$$

山东河段淤积不严重时满足式(12-41)或式(12-42)，将式(12-42)代入式(12-46)可以得到相应的三高段的排沙比为

$$\lambda_{s三高} = \frac{98}{S^{0.98}}\left(\frac{Q_花}{Q}\right)^{1.6}\left(\frac{Q_b}{Q_{max}}\right)^{0.3} + 0.078\,1 \tag{12-47}$$

取 $\dfrac{Q_花}{Q}=1$，$\dfrac{Q_b}{Q_{max}}=1.12$，代入上式得

$$\lambda_{s三高} = \frac{101}{S^{0.98}} + 0.078\,1 \tag{12-48}$$

并由式(12-45)得到河南河段的淤积量为

$$\Delta W_{s三高} = \left(0.92 - \frac{101}{S^{0.98}}\right)Q_三 S_三 T \tag{12-49}$$

上式所代表的山东段不严重淤积时河南段的最大泥沙淤积率与三黑小来沙率的关系如图 12-28 所示，淤积量还与洪峰时段长度有关。

为便于比较，图 12-28 中同时绘制了三高段淤积率与三黑小来沙率的实测点据，其统计关系线为(图中还绘制了三黑小含沙量 S 为 150kg/m³、250kg/m³ 时高利段少淤情况下三高段淤积线)

$$\Delta Q_{s三高} = 0.56Q_{s三} + 0.006 \tag{12-50}$$

从图 12-28 可以看出，山东河段淤积不严重时河南段的淤积也相对较轻，如果舍去式(12-50)右端的第二项，则可以得出山东段淤积较轻时河南的淤积率与一般情况下的淤积率之比为

$$\frac{山东淤积轻时河南段淤积率}{统计淤积率} \leqslant \frac{0.18 \sim 0.47}{0.56} \approx 32\% \sim 84\% \tag{12-51}$$

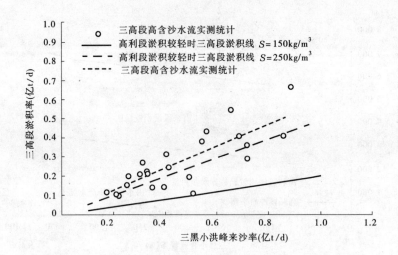

图 12-28 河南河段淤积比与三黑小水沙系数关系

即此时河南段淤积也较少,为统计淤积率的 32%～84%。

参 考 文 献

[1] 梁志勇,等.黄河高含沙水流水沙运动与河床演变.郑州:黄河水利出版社,2001

[2] 梁志勇,尹学良.试论来水来沙的造床作用.水文,1994(1)

[3] 梁志勇,张德茹.水沙条件对黄河下游河床演变影响的分析途径兼论水沙与断面形态关系.水利水运科学研究,1994(1～2)

[4] 齐璞,赵文林,等.黄河高含沙水流运动规律及应用前景.北京:科学出版社,1993

[5] 赵业安,周文浩,等.黄河下游河床演变基本规律.郑州:黄河水利出版社,1997